글모음 14

막 쪄낸 찐빵

● 이만재 지음

도서
출판 두란노

막 쪄낸 찐빵

글모음 14

막 쪄낸 찐빵

지은이 이만재
초판발행 1990. 12. 24.
32쇄발행 1996. 3. 23.
등록번호 제 3-203호
등록된 곳 서울시 용산구 서빙고동 241-96
발행처 도서출판 두란노
업무부 749-1059
FAX 749-3705
편집부 794-5100
인쇄처 (주)두레문화사
한권값 2,500원

ⓒ 도서출판 두란노 1990
ISBN 89-7008-117-8 03230

두란노서원은 바울 사도가 3차 전도 여행 때 에베소에서 제자들을 따로 세워 하나님의 말씀으로 양육하던 장소입니다. 사도행전19장 8-20절의 정신에 따라 첫째 목회자를 돕는 사역과 평신도를 훈련시키는 사역, 둘째 세계선교(TIM, IICE)와 문서선교(출판 · 잡지)사역, 셋째 예수문화 및 경배와찬양 사역, 그리고 가정 · 상담 사역 등을 감당하고 있습니다. 1980년 12월 22일에 창립된 두란노서원은 주님 오실 때까지 이 사역들을 계속할 것입니다.

추천의 말

어느날, 윤형주 집사님으로부터 흥분을 감추지 못한 전화 한 통을 받았습니다. 그것은 광고계에서 결코 무시할 수 없는 큰 얼굴인 이만재 씨가 결국 교회의 문을 두드렸고, 그것도 너무나 순수하고 진실한 자세로 예수님을 만나고 있다는 내용이었습니다.

몇 주 지나서 우리는 이만재 씨와 함께 점심을 나누게 되었는데 그에게서 내가 받은 첫번째 인상은 철저한 계산적인 직업 속에서 전혀 계산적이지 않은 순수한 영혼을 소유한 사람이라는 것입니다.
그는 늦게 만난 예수에 미쳐있는 사람, 늦바람난 사람처럼 예수사랑에 미쳐있는 사람입니다.

그의 생활언어로 기록된 구도적인 일기인 「막 쪄낸 찐빵」은 제목이 풍기는 그대로 따뜻하고 소박한, 그리고 공감과 위로를 주는 갓 태어난 영혼의 일기입니다.

그를 알고 있는 모든 이들에게는 이 작은 책이 설탕이기보다는 소금이 되기를 바라고 종교적 언어에 식상해있는 많은 사람들에게는 신선한 도전이 되기를 바랍니다.

1990년 12월
하용조

"마음의 가운데"

"마음의 가운데"

이승에서 살아온 날들의 수가
나보다 적은 인생의 후배
윤형주, 이정원 두 사람이 어느날 ─
내 생애에, 파란만장이 지나쳐
잔발장과도 같은 상처 많은 내 생애에,
어쩌자고 틈입자처럼 뛰어들었다.

어인 일로 나는 내내 눈이 부셨고,
그 부신 눈이 금세 멀어버릴 것만 같은
불안감 속에서도 차마 외면할 수 없는
이상스런 '빛'이었다.

그 부신 빛으로부터 뭔가 낯익은
하나의 실루엣이 서서히
망막 속에 떠오르기 시작했다.

그것은 다만 따스한 열기 같은 것이었을까?
웬지 낯익다는 게 싫어서 그냥 가볍게
담배연기를 신경질적으로 내뿜으며
고작 내 입에서 나온다는 소리가 ─

"온누리교회라나 뭐라나 … 알게 뭐야,
이 나이에 내가 무슨 그리스도인이라고!"

온누리교횐지 뭔지 …
내가 전임으로 출강하는 서울광고아카데미 카피라이팅교실의 제자인
이정원 양으로부터 불쑥불쑥 들었던 교회 이름.

온누리교회!
광고아카데미 졸업 후, 광고대행회사에 취업한 이정원 양은 한 달에
한 번씩 원고청탁하러 올 때마다 은근짜하게, 내 눈치를 보듯 슬쩍슬쩍
비친다. 그러나 온누리교회고 누룽지 교회고 간에 그거 보나마나 빤한
예배당 얘기 아닌감? 문제는 어느 교회냐가 아니라 신앙생활에 대한 내
기본적인 마음의 준비태세 아니겠는가. 좀더 연구해 봐야 할 일! 암,
그렇고 말고! 그러나 어쩐지 마음은 찜찜 … 마음씨 너무 착한
이정원 양이 내내 마음에 걸림.
나도 예수 믿으면 저렇게 착한 사람 될 수 있을까?

암에 걸리셔서 세브란스병원에 통원치료를 받고 계시는 나의 칠순 노모,
인천 ○○교회 집사님. 가끔 나를 보실 때마다 "너 믿는 것 좀 봤음
좋겠다, 야!" 어머님의 병세는 날이 갈수록 호전되어 가신다고.
"알았어요, 엄니, 나도 더러 생각하고 있어요."
어머님 병환 치유자는 세브란스가 아니라 혹 하나님이 아니실까 하는
엉뚱한 생각 ….

개국을 앞둔 불교방송국으로부터 아침 프로그램 MC 맡으라고
3월 말부터 집요한 교섭 들어옴. 최고대우 호조건. 아니, 지금 조건이
문제가 아니지. 집사님 아들 쟌발장이 졸지에 웬 불교방송이람? 아니
잠깐, 남은 바빠 죽겠는데 요새 왜들 이렇게 난리야. 나 같은 사람 뭐 볼

게 있다고 요새 이렇게 예수님과 부처님이 한꺼번에 오락가락하는
게야 ! 다 귀찮아 !

마음은 찜찜 … 웬지 찜찜 … 불면증 치료에는 생선회에 따끈한 청종이
최고 ! 이 감독, 안 그래 ? 하하하 ….

술취해서 밤늦게 귀가한 날, 아파트 베란다 유리창으로 문득 명성교회
첨탑 십자가가 클로즈업됨. 꿈 속에서 예수님, 부처님 오락가락.
내내 찜찜.

불교방송국 섭외건 취소. 어인 일로 마음이 날듯이 가벼워짐을 느낌.

4월 하순, 이정원 양과 동부이촌동 차범근 선수네 인터뷰 감. 차범근,
오은미 씨 부부가 돈독한 기독 신앙심으로 이룩한 행복한 가정 분위기를
피부로 느낌. 아니, 마음으로부터 느낌. 나도 믿으면 저렇게 행복한
가정분위기를 꾸릴 수 있을 … 옘병, 이 나이에 무슨 주책이람 ? 위치가
하필 동부이촌동이어서 그랬을까 ? 온누리교회가 바로 근처라며 못내
아쉬워하는 이정원 양을 묵살하고 그냥 사무실로 핸들 꺾음. 그러나
사실은 그 온누린지 누룽진지 하는 교회를 한 번 구경이나 해볼까 했던
내 속마음을 이 양이 읽었는지 ? 아무튼 못 말릴 신앙의 힘이다,
이것은.

4월 26일(목), 이정원 一黨의 小頭目, 누룽지교회 골수 행동대장 윤형주
씨 마침내 출현. 그러나 날카로운 '예수손톱'은 짐짓 감추고 ….
화기애매(?)한 담소 나누며 영동에 가서 좋은 점심 대접 받음. 그러나
내가 과연 이 독실한 크리스찬으로부터 점심 대접 받을 자격을 갖고나
있단 말인가 ? 양심에 찔리는 바 있어 점심 후, 내가 먼저 내 간교한
발톱 감추기를 포기하고 종교와 신앙의 화제를 꺼냄. 그 기쁜 낯빛, 그

진지한 표정이 나를 더욱 부끄럽게 만듦. 긴 세월 꼬인 발톱을 포기하고
나니 어인 일로 온몸에 힘이 빠지는 듯한 무력감. 꼬였던 마음의
질곡에서 뿜어져 나오는 일시적 금단현상으로서의 독개스 영향이겠지.
아무도 모를 괴로움 속에서, 나보다 손 아래인 이 사람이 문득 아름답고
크게 보이기 시작함. 그것이 신앙의 힘이라는 것일까? 옘병, 이 나이에
내가 누군가에게 져야 하다니 ….

4월 27일(금), 나보다 크고 힘센 사람, 윤형주 집사가 아침 출근과
동시에 내 사무실로 쳐들어 옴. 어제부터 나는 그보다 작고 약한
사람이므로 그의 두 시간 여에 걸친 열띤 설교에 꼼짝 못하고 당함.
으이구! 정말로 그는 용암처럼 힘이 넘쳐 흐르는 뜨거운 활화산이었음.
게다가 그는 〈이만재 선배님께 — 윤형주 드림〉이라고 각각 쓰인 自唱
他唱 성가모음집 테이프 한 보따리와 자기 부인을 시켜서 일부러 사온
두란노서원 「생명의 삶」 5월호와 그리고 온누리교회 주보 한 권을
싸가지고 옴.
온누리교회의 신도가 이미 3천 명이나 된다면서 나와 같이 볼품없는
사람 하나를 왜 또 거기에 더 얹고 싶어하는 것일까? 참으로 선량하고
아름다운 이들의 이 모든 귀한 노고는 다 누구를 위해서일까? 그 깊은
뜻을 생각하노라니 자신의 헛껍데기가 또 부끄러워진다. 여기서 더
버틴다는 것은 사나이의 비겁함일 것이다. 그래, 무한히도 깊고 맑은
선량함과 아름다움 앞에서 … 내가 졌다. 실로 오랜 세월 동안 꽁꽁
얼었던 내 심성은 이미 녹아내리기 시작했다는 것일까? "윤 형, 감히
신자가 될 자신은 별로 없지만, 온누리교회가 어떻게 생겼는지 한 번
구경이나 가 보겠습니다." 마침내 약속을 해버렸다. 그런데 이게 웬일,
몇 시간 지나지 않아 이정원 양으로부터 따르릉 전화가 왔다. "선생님,
기뻐요. 성경책은 제가 구해서 드릴께요." 그러면 그렇지, 요눔들이
서로 내통하고 있었던거야! 슬슬 불안하기 시작. 내가 과연 교회라는
델 갈 수 있을까? 마치 양말 더러운 발로 부잣집의 깨끗한 안방에

들어서야 하는 소년처럼 불안.

4월 28일(토), 이정원 양이 사무실로 불쑥 찾아와 웬 선물 한 보따리를
내밈. 가죽지퍼가 달린 찬송가 성경 합본. 아이쿠, 죽었구나. 눈앞이
아찔! 예수찬양 온누리교회 테이프들, 그리고 무슨 말인지 당췌 알 수
없는 교리해설 소책자들… 그래, 이들은 나와 같은 보잘 것 없는 사람
하나를 '구원'하기 위해 이렇게 열심껏 베푸는데 나는 이날까지
누구한테 무엇 하나 베풀지 못하고 살아온 스크루지 사촌에 다름
아니었던 것이다. 그래, 죽으나 사나 한 번 부닥쳐 보기로 하자. 내일이
바로 D – Day가 되는 첫 主日.

14 : 00 토요일 오후면 으레 술약속이 많은 날, 그러나 그토록 고맙고
선량한 사람들과 다짐한 역사적인 D – Day를 앞두고 술을 먹으면
안되지. 그래서 뒤 건의 술친구 전화 사절!

16 : 00 해가 기울기 시작하니 족발에 쏘주 한 잔 생각이 간절하다.
그러나 안되지. 술친구 전화 또 사절! 예수님 교리가 요약되었다고
하는 소책자를 건성건성 들추어 보지만 도통 무슨 얘긴지 알 수가 있나.

18 : 00 따르릉 이장호 감독 전화. 으이구!

19 : 00 이 감독, 오 사장 등 셋이서 영동 철판구이집에서 신나게 쏘주 한
잔. 그러나 내일은 첫 교회 가는 날이니까 조금만 먹음. 2차로 옮긴 단골
카페에서도 양주 조금만 마심. 방송국에 다니는 미녀 한 사람도 합석을
하고, 좌중이 무르익어 EDPS판이 벌어졌으나 나는 D – Day를 앞둔
귀하신 몸이므로 언동을 삼감. 그러나 결과는 대취 후 자정 직전
대리운전. 캄캄한 아파트 주차장에서 윤형주, 이정원의 얼굴이
어릿거려 가죽지퍼 성경책을 챙김. 예수님, 이 술냄새 싫으시지요~?

제 1 일 / 1990. 4. 29.(일)

07 : 00 기상, 술이 덜 깸. 성경책 챙김. 헌금봉투 챙김. 결혼식 축의금 때 말고는 봉투에 돈 넣어 보기 처음이구랴.

08 : 10 집에서 출발, 어제 약속한 대로 잠실 올림픽경기장 앞에서 기다리고 있는 이정원 양 픽업.(이 양의 부친과 인사)

08 : 40 온누리교회 도착. 햇살 다사롭고 하늘 맑은 날의 첫 대면. 처음 와보는 교회인데도 웬일로 낯설지 않고 푸근하다는 의외의 느낌. 이 양과 윤형주 씨의 자상한 안내를 받아 호화시설 구경. 이 양 따라 얼떨결에 헌금봉투를 투표함 같은 목제통 구멍 속에 넣음.

09:00 하용조 목사님 설교. 머리 맑아지고 마음 편함. 예배중 숙취 다 깨었으나 담배 생각 간절. 마태복음 15장 10 — 20절 '깨끗한 것과 더러운 것'이 주제. 꼭 나보고 하는 소리 같아 약간 주눅. 권위적인 맹신 강요투가 아니고 진솔한 사실주의적 설교에 호감. 기도시간에는 최전방에서 고생하는 우리 아들녀석 생각만 함. 찬송가 부를 줄 몰라 대충 더듬더듬.

성가대 합창 광경과 현악단 반주 광경이 아름답게 가슴에 와 닿음. 신도들의 면면도 모두 다사롭고 평화로운 데 호감.

예배 후 반가운 知人을 만남. KBS 최상식, 송도영 씨 부부. 행복하고 포근한 얼굴들. 신동아쇼핑 4층으로 자리를 옮겨 茶談會.

윤형주 씨가 주차장에 갇힌 내 차를 친절하게 빼 줌. 나도 언젠가 저처럼 착한 사람이 될 수 있을까? 이 고맙고 착한 사람들한테 족발에 쏘주 한 잔 사고싶은 생각 간절. 사무실로 돌아오면서, 그리고 귀가하면서

온누리 성가합창 테이프를 내내 들음. 성가를 듣는 동안 마음이 더없이
편함. 일찍이 느껴보지 못한 이상한 평안.

그래, 오늘이 바로 그 첫날!

나 오늘 교회 갔었다 — 고 하니까 우리 아이들 표정이 '천지개벽.'

제 2 일 / 1990. 4. 30. (월)

어젯밤 침대 머리맡에 챙겨 놓았던 성경책을 아침에 눈뜨자 발견하는
순간의 감정. 나는 과연 걸음마 그리스도인 자격이라도 갖고 있다는
것일까?

인천에 계시는 어머니 집사님한테 '천지개벽 교회사건' 전화로 보고.
"그래, 잘했다. 어떻더냐?"
"뭔지 잘 모르지만…마음이 편해요."

언제쯤 되면 나도 밥먹기 전에 기도 한 수 스스로 하게 될까?
식탁 기도는 쏘주집에서도 해야 되는 걸까? 윤 집사한테 물어 봐야지.

아직 달걀이지만, 나는 신자다 — 이제 나는 달걀신자다 — 를
반복하면서 자기최면.
핸들만 잡으면 온누리 성가 테이프.
마음이 편하다.
아니, 내 운전버릇이 언제부터 이렇게 점잖아졌지?
클랙슨 대신 양보를 밥먹듯…흐흐흐…나는 달걀신자다.

저녁, 중앙문화센터 강의 도중 내가 온누리교회에 나간 천지개벽을

얘기했더니 윤필교라는 수강생이 자기도 그 교회 신자라며 반긴다.
그것도 윤형주 씨가 두목으로 있는 대중문화선교회 소속이라고.
못말릴 손!
정기휴가도 아닌데 최전방의 아들녀석이 포상휴가를 얻어 예고없이
귀가! 온 집안이 경사일색. 기도한 지 하루밖에 안되었는데 ….
온누리교회 하나님, 무서워!
나를 닮지 않아 기골이 장대한 아들녀석과 오랜만에 캔맥주 한 잔씩!
아무렴, 아들녀석은 심성도 제발 나를 닮지 않아야지!

제3일 / 1990. 5. 1.(화)

성가 테이프에서 하용조 목사님의 멋진 성우 같은 육성이 흘러 나온다.
교회 첫날 윤형주 집사의 소개로 인사 악수를 한 번 했고, 그리고 설교를
단 한 차례 들었을 뿐인데 그분을 아주 오래 전부터 익히 알고 있었던
듯한 느낌은 왜일까?
권위의식이 없는 소탈한 성품 탓인가. 사람 속은 모르겠지만, 아무튼
마음을 훤히 다 비우고 정말 투명한 심성으로 세상을 사는, 일테면
나와는 정반대의 인물인 까닭일 터이다. 그게 다 신앙을 통한 수양
때문이라면, 이 세상에 그보다 더 부러워해야 할 덕목은 없지 않겠는가.
그 인물의 정신세계를 앞으로 좀더 관찰하면서 허심탄회하게 승화된
그 인품을 나도 조금씩이나마 배워가야지.

미술대학생이자 영화광인 내 아들녀석 李 達 上兵과 함께
영화진흥공사 시사실에서 「드라이빙 미스 데이지」라는 훌륭한 미국제
문예영화를 감상. 기독정신을 바탕으로 한 건강한 퓨리터니즘이 아직
살아있기에 미국이라는 나라가 아직 강대국일 수 있을 것이라는 생각.
나도 성장과정에서 조금만 형편이 나았더라면 좀더 일찍 기독사상에
접할 수 있었을텐데 ….

하나님 : 잘은 모르는 대로 어렴풋이나마 문득 하나님 생각을 하면, 뭔가 막강한 'VIP 빽'이 한 사람 내게 있는 것 같은 든든한 느낌 !

제 4 일 / 1990. 5. 2.(수)
온누리교회 안내 부로쉬어를 읽고, 그것을 책상 위에 세워 놓음.
교회의 기본성격에서 '첫째, 성경 중심의 교회입니다'라는 대목이
마음에 와 닿음. 앞으로 나의 운명에 크게 영향을 줄 듯한 이 교회가
부디 청순하고 신선한 교회로서 내내 '성경 중심'이기를.

병아리 기독인으로서의 안전, 양보 운전법 다시 한 번 마음 속으로
다짐.

예수님 : 실로 대단한 완벽의 인물. 나는 이 나이껏 살아오면서 누구에게
아무것도 베푼 것이 없다. 누구에게도 져준 적이 없으며, 누구도
너그러이 용서해 본 적이 거의 없다. 오로지 내 것을 확보하고 내 위상과
나의 안전을 방어하기 위해서만 이를 악물고 아둥바둥 피땀을 흘려왔다.
그런데 그분은 어떻게 했는가…. 오로지 제가 아닌 남을, 순전히
타인들을 '神의 分身'으로 귀히 알고 오로지 저들을 위해 십자가의
형틀에 매달려 사지에 못을 박히는 극형의 고통을 감내했다는 것 !
'저들' 가운데 나와 같은 미물의 존재도 포함된다는 사실을 생각하면
눈시울이 안 뜨거워질 수가 없다.

사악한 본능이 나의 내부에서 고개를 쳐들어 괴로울 때마다 그분
못박히시는 아픔의 만분의 일이나마 상상을 해보면서 나를 다스려야 할
것이다. 내 의지, 보잘 것 없는 내 신심으로 과연 가능할까 ?

전지전능하다는 명성은 혼자 다 누리면서 하나님은 우리 인간을 왜

이렇게 결함 투성이의 미완성품으로 만들어 놓아 죄없는 예수님만
희생당하게 하셨을까?

제 5 일 / 1990. 5. 3. (목)
언제쯤 되어야 식탁에서 자동적으로 기도하게 되는 믿음이 내게
생길까?

온누리 찬양 〈예수 사랑해요〉를 들으면서 즐거운 마음으로 빗길 출근.
며칠 사이에 어느덧 내 18번이 된 〈예수 사랑해요〉.
결코 짝사랑이 되지 않는, 이승에서의 내 '마지막 사랑'이기를 마음
속으로부터 기도.

헌신적인 우정과 노력으로 나를 인도해준 윤형주 씨와 이정원 양에게
감사.

텔레파시 —. 이 글을 쓰다가 윤형주 집사의 전화를 받음. 전화를 통해
내 변변찮은 초심자로서의 '신앙고백' 일단을 그에게 더듬더듬 피력함.
그는 이미 나의 '信仰 代父'인 셈이니까.

그러나 스스로 自重해야 하지 않을까? 옛말에 '開口即錯'이라고
했는데, 달걀 신자도 아직 못된 주제에 감히 信仰을 입에 올려
운운하다니 ….

그래도 긴 것은 기다고 말을 해야지. 나의 이 믿을 수 없는 변화에 대해
내가 말을 하지 않는다면 누가 감히 상상이나 할 수 있을 것인가.

북극 시베리아에서 덜덜 떨면서 잠을 자다가 어느날 깨어보니 졸지에

따스한 남쪽 나라의 포근한 침대에 눕혀져 있는 자신을 발견하고 놀라 두리번거리는 듯한 이 기분. 나는 지금 하나님의 포근한 침대에 눕혀져 있는 어린 아이가 아닌가!

목발에 휠체어를 타고 살다가 어느날 갑자기 척추가 생겨 두 발로 벌떡 일어선 듯한 이 기적과 같은 불가사의의 느낌.

나 같은 사람에게도 감히 그럴 자격이 있다면 ·····················
··
·· "예수님, 사랑해요!"

제 6 일 / 1990. 5. 4. (금)

평상시처럼 6시에 퇴근을 할까 하다가 혼자서 조용히 성경 한두 줄 읽어볼 요량으로 다시 자리에 주저앉았다. 그런데 7시 30분쯤 되었을까, 때늦은 전화벨이 울린다. 웬 여학생의 목소리다.

"거기 이 달 씨라고 혹시 아세요?"
"네, 전방에 있는 제 아들입니다만 ··· 누구세요?"
"시내에서 우연히 지갑을 하나 주웠는데요. 그 속에 보니까 군인 휴가증이 들어 있어서 전화하는 거예요."
"아, 누구신지 모르지만 정말 고맙습니다. 제 아이가 지금 휴가차 나와 있는데 지갑을 분실한 모양이군요. 정말 고맙습니다."

어휴, 큰일날 뻔했다. 용케도 녀석은 그 지갑 안에 제 애비 전화번호를 적어 두었던 모양이다. 휴가 나온 쫄병이 휴가증을 분실하면 꼼짝도 못한다는데 ··· 내가 만일 성경 볼 생각을 하지 않고, 평상시처럼 사무실 문을 잠그고 일찍 퇴근해서 그 고마운 전화를 못 받았더라면 어찌 할

뻔했나… 하나님 덕분에 변변치 못한 아들녀석 휴가증 찾게
되었습니다. 저는 이처럼 완전히 사사건건 당신한테 코가 꿰서 살고
있군요!

병아리 신자가 되고부터 희한하게도 고질적인 불면증이 없어져 숙면을
취하기 시작함. 하나님, 당신의 영험한 이름은 '平安'입니까?

아무 때나 운전석에 앉기만 하면 〈예수 사랑해요〉가 항상 흘러나오면서
즐거움이 가득 넘치는 내 이상한 자동차 [서울3구 9548]은 …… "달리는
一人乘敎會!"

"예수님 사랑해요"

참 별 희한한 일도 다 있다. 내 나이 머잖아 지천명을 바라보는 나이에 아무리 생각해보아도 별일은 별일이다. 세상에 나처럼 한평생 엉덩이 뿔을 높이 달고 휘저어대며 오로지 술과 벗과 객기를 인생의 낙인 양 믿고 살던 사람이 어느날 갑자기, 참으로 갑자기, 그 좋던 술벗들 대신 "예수님 사랑해요" 어쩌고를 웅얼거리며, 이미 이 세상의 호적에 존재하지 아니하는 까닭에 일찍이 한 번도 본 일이 없는, 먼 나라 목수간집네 털보 아들을 은근히 혼자서 속으로 짝사랑하기 시작했으니 말이다. 평소의 나를 조금이라도 아는 누군가가 있어 만일 이 글을 읽게 된다면 그 또한 꼭같은 말을 할 것이 틀림없다.
"세상에 별 희한한 일도 있다!"

그러나 내게 있어 이것은 현재상태로 누구도 부인할 수 없는, 아주 최근에 발생한 엄연한 사실이다. 독실한 크리스챤인 가수 윤형주 씨에 이끌려 어쩌다 한 번 그가 속한 한강변의 붉은 벽돌 교회에 가 본 게 고작인데, 거기서 그만 나는 무언가 형언할 수조차 없는 영혼의 KO펀치를 한 방 크게 얻어 맞아 당하고 만 모양이다. 사람의 일이란 한 치 앞을 내다볼 수 없다는 말을 익히 들으면서 살아 왔으나 정작 내가 그 주인공이 돼버릴 줄을 어떻게 알았으랴. 신앙—이라고 감히 말하기에는 아직 너무도 때가 이른 병아리 단계의 입문생에 불과하나 그러나 예의 그 엉뚱한 '짝사랑'이 시작된 이후, 요즘 내 스스로 직접 겪고 있는 일이므로 한 가지는 조심스럽게 말할 수 있다. 밤만 되면 까닭모를

불안과 초조에 시달려 이미 수년래의 고질이 되어 왔던 내 불면증이
씻은 듯이 사라진 것이다. 어느날부턴지 갑자기 머리 속에 무언가
다사로운 열기의 에너지원이 새로 들어찬 듯한 느낌 속에서 항상 마음이
평안하고 까닭모를 즐거움이 새록새록 솟는 것이다. 내가 지금 개인적인
신앙체험을 얘기하고 있는 듯 싶으나 그러나 사실은 그냥 단순한
'전도'의 목적으로 이 글을 쓰고 있지 않다는 사실은 독자 여러분도
이미 눈치챘을 줄 안다. 사실이지 나는 신앙의 경륜이 너무 일천해서
아직 주기도문도 제대로 외우지 못하는 주제에 전도라니 너무도 가당치
않은 일이기 때문이다. 뿐만 아니라 이 글을 읽는 이 가운데 혹 만일
엊그제까지의 나처럼 항상 해만 지면 까닭없이 마음이 불안하고
초조하여 술에 듬뿍 취하지 않고서는 견디지 못하는 사람이라면,
그렇다면 나는 그에게 나처럼 무작정 '사랑'하는 일에 지금 당장에라도
착수해 보라고 간곡히 조언해 드리고 싶다. 그가 만일 지금까지 남달리
모질고 험한 세파를 헤치고 살아오는 동안 혹 나처럼 마음이 메마르고
성급하며 매사에 대하여 의심이 많은 사람이라면 더욱 확실한 효험을
겪을 수 있을 터이다. 대체 우리네 인간이란 얼마나 불완전한
미완성품인가 하는 사실의 자각은 오로지 신앙체험을 통해서만이
뼈저리게 깨닫게 된다고 나는 지금 절실히 믿고 있기 때문이다.
이 세상에는 참으로 별 희한한 일도 다 있다는 사실을 인정한다면,
그 희한한 일의 발생 가능성이야말로 주로 우리들 마음 속에 특히 많이
잠재되어 있지 않나 하는 생각을 나는 지금 하고 있는 것이다. 우리들이
저마다 하나씩 가슴 속에 갖고 있는 '마음의 뜨락'은 과연 어떤 모양을
하고 있는가 스스로 한 번 각기 점검해 보기를 제안한다. 단 한 번뿐인
우리들 생애의 늦지 않은 완성을 위해서이다. (三星그룹 社報「마음의
뜨락」1990. 5)

제 7 일 / 1990. 5. 5.(토)

어젯밤에는 우리 동네도 아닌데 서초동 윤형주 집사네집 구역예배에
초대되어 갔었다. 동화책 속의 소꿉장난처럼 아기자기 단란하게 꾸며진
조그만 아파트. 착하고 선량한 인품이 아지랑이처럼 눈빛에 서려있는
몇몇 신도들과 수인사를 하고 한데 어울려 구역장의 인도로 예배드린 후
저녁식사. 미니부페 형식으로 좋은 음식들을 차렸는데 너나없이 실로
엄청난 식욕들을 과시한다. 예수 믿으면 대식가가 되나보다. 술 담배를
안하니까 저렇게 되나보지? 그런데 비만증은 하나님이 책임져
주시나? 때맞춰 윤형주 씨의 제법 불룩한 배가 두드러져 보이고
그 자녀들 또한 초우량아이다. 첫인사를 나눈 신도 가운데 의사직업을
가진 이가 두 사람이나 있었는데 어인 일로 두 분 다 산부인과 의사란다.
나는 어릴 적 시골에서 조산원 산파 아줌마가 신식 자전거를 타고
지나가는 것을 본 적이 있으나 남자 산부인과 의사를 그것도 한꺼번에
둘씩이나 실제로 대면해 보기는 처음이다.

그러나 이날의 하이라이트는 오랜만에 곽규석 목사님을 거기서 만난
일이다. 그 또한 나처럼 초대객으로 와 있었는데 나는 그분이
연예인으로 활동할 십 몇 년 전에 한 번 인터뷰를 한 적이 있다.
사람의 운명이란 그렇게도 달라질 수 있는 것일까? 아무튼 그분은 현재
내 눈 앞에서 엄연하고도 훌륭한 현직 목사님이었기에 속으로 나는
하나님의 '은총 프로그램'이란 과연 신묘한 것이구나 하는 느낌을 갖지
않을 수 없었다.

곽규석 목사님이 내게 특별히 해주신 말씀 한 구절.
"우리가 누군가에게 저주를 보낸다면 그 저주는 그에게 갔다가 다시 제
주인한테 돌아온다. 반대로 우리가 누군가를 축복해 준다면 그 축복
또한 그에게 갔다가 다시 제 주인한테 돌아온다. 하나님의 섭리는
그래서 의외로 단순한 것이다."

나는 이제껏 누군가를 가끔씩 마음으로 욕한 적은 있으나, 그러나 나는 이 나이토록 남을 위해 진심으로 축복해준 기억이 없다. 그럼에도 불구하고 … 돌이켜 보면 지나간 반평생을 내내 하나님의 축복만 받으면서 살아왔다 … 그렇다면 나는 실로 뻔뻔한 '빚장이'가 아니고 무엇이랴 … 부끄러운 일이다.

제 8 일 / 1990. 5. 6.(일)

즐거운 마음으로(내가 참 별일이다) … 온누리교회를 향하여 올림픽대로를 달린다. 성경책을 챙기고 헌금봉투를 챙겨서 주일예배를 드리러 달린다. 온누리교회에는 몇 가지 특색이 있다. 강단 전면에 십자가가 없다. 십자가는 교회적 절대권위의 상징이라는데 십자가가 없고 붉은 벽돌벽만 있다. 목사님은 가운도 입지 않는다. 신도들의 구성을 보면 타교회에 비해 남자들이 월등히 많고, 그리고 전체적으로 젊다. 게다가 헌금바구니를 돌리지도 않는다. 예배실 입구에 헌금함이 말없이 놓여 있을 뿐이다. 그리고 교회 안에 구내서점과 실비의 커피숍이 있다. 合理와 理想의 조화가 추구된 것을 느낄 수 있다.

하용조 목사님 설교—
"떡이 아니면 어떻습니까, 부스러기라도 좋습니다"라고 예수님께 겸허히 간구할 정도의 전폭적인 믿음이 중요.

예배 후의 茶談會에서 윤형주 씨가 전도한 KBS 구성작가 박은희 씨와 인사. 최상식, 송도영 씨 부부도 합석. 커피 마심. 하나님께 수면까지 다 맡기고 난 다음부터는 커피로 인한 불면증도 겁나지 않음.
"나는 이제 더이상 불면증 환자가 아니다 !"

제 9 일 / 1990. 5. 7.(월)

윤형주 씨의 至誠은 놀랍다. 혹시라도 제가 전도한 초보신자의 마음이
흐트러질까봐 매일같이 '안부' 전화를 걸어온다. 나 같은 사람의
게으름으로는 꿈도 꾸지 못할 일이다. 그가 그렇게 남을 위해 힘나해
하는 것도, 남을 위해 신나해 하는 것도 다 신앙의 가르침과 신앙을 통한
수양 때문일 것이다. 나는 언제나 남을 위해 살 수 있을 것인가.

벌거벗은 사우나탕 매너에서, 또는 식당에서, 길거리에서 하나님을
모르고 사는 사람들은 표가 난다. 마구잡이로 사는 사람들을 보면서 내
모습의 어느 부분도 저랬을 것이다—를 생각해 본다. 올챙이가 올챙이
걱정을 하는 형국.

제 10 일 / 1990. 5. 8.(화)

눈에 보이는 즉물적 세계를 인생의 전부로 알고 살다가 어느날 갑자기
눈에 보이지 않는 또 하나의 영적인 세계가 있음을 어렴풋이나마 터득한
지 오늘로 10일째이다. 육신과 영의 조화—와 같은 거창한 수준에는
아직 이르지 못하였으나 그러나 지난 열흘 동안의 체험은 스스로
신기롭기 그지없는 것이다. 내가 무언가를 어렴풋이나마 체험했다고
해서 아직 그렇지 못한 이웃들을 '가엾이' 여기는 따위의 자기 오만이나
선민의식이 나의 내부로부터 혹시라도 싹터서는 안될 터이다.

예수처럼 사는 길은 내 이웃의 모두를 예수의 분신으로 보고 늘 그들을
예수님 모시듯 공경하는 게 아닐까—하는 막연한 생각을 해본다.
결코 쉽지 않은 일.

제 11 일 / 1990. 5. 9. (수)

후배의 결혼식장에 갔다가 보신파 일당들을 만나 따로 자리를 옮겨서 보신탕에 소주 한 잔 곁들임. 어차피 술은 미안하게 되었다 치고, 이놈의 개고기는 과연 그리스도적인 고기인가 반그리스도적인 고기인가 잘 모르겠다. 윤 집사한테 물어봐야지.

어쩐지 미안한 생각이 들어 술기운 깨기 전에는 하나님 생각 안하기로. 그러나 내가 외면한다고 해서 그 영험한 양반이 모를까?

잠자기 전에 요한복음 몇 줄 읽음. 윤 집사는 분명히 요한복음이 기중 쉽다고 했는데 내겐 어렵기만 하다. 어느 복음이나 성경은 졸립다. 성경은 '수면복음'이다.

제 12 일 / 1990. 5. 10. (목)

요새 시국이 어수선하여 툭하면 비가 오곤 하는데 자동차의 Window Wiper가 고장이다. 퓨즈가 자꾸만 타버리곤 한다. 와이퍼 모터 어딘가에서 누전이 되는 모양이다. 정비공장에 갔다. 운전대 밑 퓨즈박스를 점검하던 정비공이 내 차 안에 잔뜩 놓여있는 성가모음 테이프를 보더니 반색을 한다.

"아이구, 선생님 교회 다니세요? 반갑습니다. 저도 신잡니다."
"에 … 그게 … 아니, 난 아직 그냥 초보 신잡니다. 와이퍼 모터가 고장인 듯싶으니 모터나 교환해 주세요."
"가만있자 … 모터를 갈자면 일은 간단하지만 돈이 많이 드는데요. 혹시 다른 배선 고장일지도 모르니까 그걸 우선 전부 점검해 보죠. 같은 신자끼리 이럴 때 좀 봐드리는 것 아닙니까?"

그렇게 해서 배선 일제점검이 시작되었다. 모터를 교환하자면 15분이면 끝날텐데 그 복잡한 배선을 온통 다 뜯어 일일이 테스트하는 데는 무려 2시간이나 걸렸다. 금싸라기보다 더 비싼 내 시간! 그러나 내 부담 적게 해준다는 고마운 마음씨에 꼼짝 못하고 기다려야 했다. 아무튼 신자라서 그런지 자발적인 친절미가 확실히 달랐다. 이윽고 그 아깝고도 지루한 2시간이 지난 후 그 친절한 정비공이 하는 말, "헤헤… 배선에는 하자가 없는데요. 아무래도 모터를 교환해야 하겠어요."

제 13 일 / 1990. 5. 11. (금)

이장호 감독과 함께 조선호텔에서 있은 모 리셉션 행사에 참석. 영화「어둠의 자식들」이 계기가 되어 전직 '꼬방교회' 집사이기도 했던 이 감독은 나보다 물론 그리스도 신앙의 교리에 대해 더 깊이 알고 있는 사람이다. 그 사실을 나는 안다. 그러나 나는 속으로 은근히 온누리교회 자랑을 하고 싶어서 하용조 목사님 얘기를 꺼냈다. 그런데 하 목사님을 그는 나보다 더 먼저 잘 알고 있는 게 아닌가. 에라, 그렇다면 단도직입적으로 찍어보자.

"이 감독, 주일마다 나랑 온누리교회에 나가는 게 어때?"
"교회? 나는 이미 주일날 두 개씩이나 나가고 있어요."
"… 두 개씩 … 이라니?"
"한 주일은 아들녀석이랑 동네 교회에 나가고 …."
"……?"
"그리고 또 한 주일은 헤헤 … 딸년이랑 동네 성당에 나가고!"

매사가 별난 이 감독은 신앙생활조차 참말 별나다.
하나님, 그래도 되는 겁니까요?

제 14 일 / 1990. 5. 12. (토)

KBS 사회교육방송국에 가서 대 공산권 국가 교민들을 위한 '광고교육'
방송 4일분 녹음. 출연료 10만 원. 아직 한 번도 경험해 보지 않은
십일조에 대해 잠시 생각. (교회가 나보다 훨씬 더 부잔데…이 코묻은
돈까지 바쳐야 하나, 마나…나중에 누군가한테 물어 봐야지…아니,
주일 헌금봉투에 슬쩍 포함시키면 되겠지.)

자본주의와 그리스도, 공산주의와 그리스도에 대해 한동안 깊은 생각.
김일성을 그리스도인으로 인도하는 길이 있다면…? 아니지, 이쪽이나
저쪽이나 정 / 치 / 가들한테는 인간적으로나 신앙적으로나
기대 걸고싶지 않은걸…신앙생활마저도 정치적인 제스처로
이용할 인종들이니까!

소설가 朴榮漢 씨 부부와 구기터널 옆 계곡에서 또 보신탕에 소주 한 잔.
참 이상한 일이다. 하필 교회가기 전날인 토요일이면 술 먹을 일이
발생한다. 아무래도 나는 평생 시험받으며 살 팔자인 모양인가…술도
좋고 찬송도 좋으니 이걸 어쩌나….

제 15 일 / 1990. 5. 13. (일)

늦잠 자다가 벌떡 일어나 허겁지겁, 한적한 강변로를 타고 교회로 직행.
정확히 28분 소요.

하 목사님의 설교.
성경 중에서 불구자들에 대한 예수님의 안수 기적…빵 몇 조각으로
수천 명을 나누어 먹인 기적에 관한 대목.
그러나 그 비현실적인 성경부분은 아직 내게 잘 이해가 안됨. 뒷날 부활
하신 후의 영적인 기적이라면 모르되, 살아 생전 이승의 몸으로 어떻게

기적을 연출한담? 나중에 하 목사님에게 물어 봐야지.

돌아오는 길에 윤형주 씨가 사서 준 성가대 뚱보 지휘자의 테이프를
감상. '한국의 파바로티'라던 윤 집사의 칭찬이 가히 틀리지 않게 들릴
정도로 감동적인 천사의 목청. 이런 목청은 필경 그 목청 이상으로
아름다운 심성에서만 우러나올 수 있겠지 … 부럽다, 부러워!

뚱보치고 영 잘 생겼다 했더니 아닌 게 아니라 인물값 하누만!
늘 비만걱정을 해오던 내가 뚱보를 부러워해 보긴 난생 처음이다.
온누리교회엔 인재도 많아 하 목사님 참 좋겠다.

제 16 일 / 1990. 5. 14.(월)

중앙문화센터에서 내 강의를 듣는 고대 영문과 나온 청년 하나가 자기의
'저서'라며 책을 한 권 불쑥 내민다. ○○재단이라는 곳에서 출판한
이상한 책인데 역시 엉뚱하게도 그 내용은 '血의 永生學'이라는 것이다.
청년의 말에 의하면, ○○재단이란 지구상의 모든 학설, 모든 종교를
초월해서 몸의 피를 天氣의 차원에서 연구하는 신비의 집단인데,
그 단체의 教主인 '이긴 자'의 밑에 들어가 教徒가 되면 나이가 백 살이
넘어도 영원히 죽지 않고 영생한다며 '기적의 현장을 담은' 웬 조악스런
칼라사진까지 내게 꺼내 보여준다.

내 제자 중에 이정원 양이나 윤필교 양 같은 착한 온누리교회 자매가
있는가 하면, 또 이런 괴이쩍은 청년도 있다니 놀라울 뿐이다.
"마귀야, 물러가라!"

나는 본디 기적을 믿지 않는다. 바라지도 않는다. 우연한 행운이나
요행도 나는 성격상 좋아하거나 기대하지 않는다. 그래서 이날껏 그

흔해빠진 복권 한 장도 나는 결코 사 본 적이 없다.

하용조 목사님이 충무로까지 몸소 나오심. 물론 윤형주 집사의 주선이긴
하지만 실로 감사한 일. 극동빌딩 희준 레스토랑에서 윤 집사가 낸 좋은
점심을 먹고, 온누리교회로 자리를 옮김. 하 목사님은 두란노서원의
각 출판 시스템을 소개하시고 두란노 도서의 머천다이징과 관련한
배경설명을 해주심. 그리고 손수 기획하고 출판해낸 방대한 분량의
도서들에 관하여 열정적인 오리엔테이션을 해주심. 하용조 목사님의
초인적인 신심과 또 다른 인간적 정열의 뜨거움에 압도당한 5시간의
회동. 내 부족한 능력으로 두란노서원의 출판영업 활성화에 어떻게
조금이나마 기여할 수 있을지 시간을 두고 진지하게 연구해 볼 일.

회동 후, 하 목사님이 두 손으로 내 오른손을 꼭 쥐고 오래도록
기도해주심. (電氣拷問) 찌릿찌릿! (自白) "예수를 인정합니다"라고
마음 속으로 약속.

하 목사님과의 회동 5시간으로 인하여 바쁜 월요일 오후의 내 사무실
기능은 올스톱. 내가 자리를 비움으로 하여 5시간 동안이나 전화통은
불이 났겠지 싶어 부리나케 사무실로 돌아와 보니 이게 웬일일까?
정말 기적이 일어난 것이다. 5시간 동안 전화가 한 번도 오지 않았다는
것이다. 정말로 다행한 일이기는 하지만 이건 너무나도 이상한 일이다.
평소의 평균치로 따져 한 시간에 두 번씩만 전화가 왔다 하더라도
최소한 10개 이상의 메모가 기다리고 있어야 정상인데, 그동안 단 한
차례도 벨이 울리지 않았다는 것이다. 지난 10년 동안 이런 이상한 일은
한 번도 없었다. 그렇다면, 그렇다면 … 내가 목사님과 함께 있는 것을
하나님께서 내내 지켜보고 계셨다는 뜻일까? 참으로 이상한 일 …
하 목사님은 하나님을 머리 위에 이고 다닌다는 말인가?

누구보다도 진실된 목회활동을 왕성하게 하면서도 그토록 방대한
두란노 출판시스템을 직접 운영 관리하는 하 목사님의 놀라운 능력에
감탄할 뿐이다. 그러나 그것은 어김없는 신체적 과로를 뜻하는 것일
터이다. 얼마 전의 身病도 몸을 돌보지 않은 격무 과로가 원인이었을 것.
두란노서원의 일 가운데 어느 일부를 내가 도와드릴 수 있을지 ….

그 양반이 목사만 아니었다면 오늘 나는 인간적으로 멋장이인
하용조 씨를 이촌동 어느 골목으로 끌고 가서 틀림없이 소주 한 잔을
샀을 것 !

제 17 일 / 1990. 5. 15. (화)

초보신자의 첫 傳道.
스승의 날 선물을 사들고 찾아온 성실한 제자 박혜선 양(광고회사
카피라이터), 그리고 점심 먹자고 찾아온 업계 후배 윤원구
씨(편집대행회사 경영)에게 그리스도 자랑 일석 후 반 공갈,
반 협박으로 오는 주일 아침 08:50까지 온누리교회 현관으로 무조건
나오도록 강압적으로 약속받음.

나는 왜 윤 집사처럼 정교하고 부드러운 전도를 하지 못할까 ?

뉴시네마운동을 하다가 〈오픈 시네마〉라는 영화사를 차린 학구파
이세민 씨 부부가 자기네 첫 소련영화 수입작품 「인터걸」의 시사회
초대권을 갖고 사무실로 찾아옴.
기회는 이때다 싶어서, "좋소, 빠타제로 합시다. 내가 그 영화 시사회에
참석하는 대신 당신네 둘은 오는 주일 아침 08:50까지 성경책 들고
동부이촌동 온누리교회 현관으로 나오시오 ! "
우여곡절 끝에 약속 받음.

틀림없이 이 사람들은 영화 흥행 잘되게 해달라고 기도하겠지?
우리 하나님 바쁘시겠다.

이렇게 나처럼 무식하게 전도를 해도 과연 되는 걸까? 모로 가도
교회만 가면 되…는 걸까…?

어제 하용조 목사님이 친필로 서명해서 주신 自著書「한 사람을
찾습니다」를 잠들 때까지 읽음. 성경의 해석이 지극히 인간적이고
참신하다는 느낌을 받음. 하나님의 명령이 없었더라면 이 양반은 자칫
목사가 아닌 예술가가 됐을 뻔한… 요상한 인물이다. 예술가가
됐더라면 지금쯤 동숭동 뒷골목 어디서 나하고 신나게 쏘주를 마시고
있었을지도 몰라….

제 18 일 / 1990. 5. 16. (수)

5·16 기념일. 키 작고 욕심 많은 그 무력집권 독재자도 자기 아내 먼저
저격당했을 때, 그것이 하나님의 '옐로카드'인 줄을 바로 알아차리고
진작에 예수님을 섬겼더라면 궁정집 니나노에서 총맞아 죽지 않았을
것을….

이정원 양이 점심 때 '스승의 날 선물'을 들고 와서 온누리교회의
목요 찬양 이벤트에 대해 오래도록 자랑하면서 참석을 권유.
못말릴 손!
아무튼, 신앙 매너가 변변치 못한 나는 아마 평생토록 누군가로부터
계속 뭔가를 '권유'만 받고 살다가 죽지 않을까 하는 예감.

성가테이프를 너무 줄기차게 틀어댄 탓으로 카 스테레오 또 고장.
지난 2주일 동안 벌써 4번째 고장이니 이건 또 하나님의 무슨 다른

뜻일까?

위태로운 초보신자 동태파악 관리를 위한 윤 집사의 至誠스런 日例電話.
오늘의 주제는 낮의 이정원 양과 마찬가지로 목요찬양 프로그램. 마침내
나도 내일밤 한 번 가서 견학하기로 약속. 정교한 물귀신작전! 이렇게
해서 나는 점점 온누리교회 식구가 되어가고 있는 모양. 그것도 다
하나님의 뜻이라면 내가 무슨 수로 버텨?

술은 벌써 어느 정도 절제가 돼가는데 이놈의 담배는 금단현상 때문에
어렵다, 어려워! 어차피 같은 하나님이라면 … 담배 맘놓고 피워도
되는 천주교로 가버려?(농 ~ 담)

제 19 일 / 1990. 5. 17.(목)

어제와 오늘, 두 사람의 가까운 주변 인물에게 변변찮은 전도명색
시도하다 실패. 성과 없이 엊저녁 쏘주값, 오늘 점심값이 날라갔어도
아까운 생각이 하나도 들지 않는 절친한 사람들. 아니 잠깐, 술꾼
신자가 술꾼 비신자를 전도할 때 술을 Tool로 삼는다면 이것은 과연
옳은 일인가, 그른 일인가 … 잘 모르겠다.
한 사람은 중앙일보 김경희 기자, 또 한 사람은 소설가 출신의 광고회사
간부 K국장. 두 사람의 공통점은 머리 좋은 '인간'.

부질없는 논리싸움이나 교리싸움보다는 내가 좌절하지 않고 오래
기다리며 나의 바람직한 인간적 변모를 보여줌으로써 저들에게 뭔가를
느끼게 해주어야겠다는 생각.

현실적인 '인간'에게 어떻게 보이지 않는 神의 존재를 설명하여 설득할
것인가? 설명이나 설득으로 과연 당키나 한 일일까? 아니 그보다도

내가 과연 남의 인생, 남의 정신세계 속에 뛰어들 자격을 갖고나 있는
존재인가?

윤형주 집사, 이정원 양을 따라 수천 명의 남녀학생, 청소년 신도들이
모인 '두란노 경배와 찬양 모임'에 처음 참석 견학.
어린 학생들이 지휘단의 경쾌한 인도에 따라 씩씩하게 성가를 합창하는
모양은 아름다웠다. 청소년 사회문제 하나가 이곳에서 가장 건전한
방식으로 해결되고 있다는 반가움과 고마움. 그러나 찬양 다음 순서로
이어진 놀라운 기도 광경은 솔직히 표현하자면 혼란과 충격이었다.
초보신자로서 이제 막 정붙이기 시작한 '성경 중심'의 온누리교회에서
이런 놀라운 광경이 벌어지다니 …. 내가 지금껏 생각해오던 '기도'란,
전지전능하신 하나님 앞에 조용히 꿇어 엎드려 자신의 인간적인 한계를
겸허히 반성하고 하나님의 말씀을 귀기울여 수용하고자 하는 묵상의
세계였다. 그런데 이건 뭔가. 통곡, 비명, 경련, 신음, 기성, 괴성,
오열, 눈물…. 이건 성스러운 기도장이 아니라 사뭇 고통스런 발작과
광란의 지옥에 다름이 아니었다. 하나님의 사랑과 힘을 믿는
신앙생활이라고 하는 게 어디까지나 밝고 건강하고 즐거운 것이어야
할텐데, 이제 나이 고작 16~17세 된 어린 학생들의 가슴 속에 무슨
원통한 죄과의 업보가 맺혀있다고 저토록 수천 명이 큰 소리로
방성통곡을 해야 옳단 말인가….
그러나 나는 아직 교회의 분위기나 경배, 기도 성향에 대해 잘 알지
못하는 초보자이므로 이의, 반론을 제기할 자격을 갖지 못하고 있다.
그래서 찬양집회 후 윤 집사가 저녁을 사는 자리에서 그냥 흔연한
얼굴로 간략히 물어보았다. "우리 온누리교회 청소년들의 기도는 항상
저렇게 비명과 통곡으로 이루어지는가?" 물어보기를 참 잘했다. 그의
대답을 듣고 다소 안심.
"저들 가운데 온누리 소속은 10 ~ 15% 정도밖에 되지 않는다. 대부분
타교회에서 온 학생인데 아마 이 프로그램을 담당한 하스데반

선교사님이 오늘 만일 계셨더라면 기도를 조용히 인도했을 것이다.”

하나님이 우리 인간에게 원하시는 것은 ‘언제나 착하고 즐겁고 기쁘고 감사하고 건강한 삶’일 것이다ㅡ라는 게 내 생각. 따라서 즐겁고 기쁜 우리 온누리교회에서는 어떤 경우에라도 그런 ‘고통스런 地獄演習劇의 騷亂’이 연출되지 않았으면 싶다.

제 20 일 / 1990. 5. 18. (금)

어젯밤 교회에서 목격한 集團地獄劇 광경 쇼크 때문에 오늘은 종일 기분이 우울찜찜하다. 신앙의 무서운 독소적 일면, 즉 아직 미성년자가 봐서는 안될 장면을 잘못 봐버린 듯한 당혹감을 아무래도 지울 수가 없다. (어젯밤 그곳에 심약한 우리 아이들을 데리고 가지 않기를 참 잘했다.)

교회란 큰 비명, 큰 기도, 큰 목소리의 경쟁장이 아니라는 게 내 생각. 내가 믿는 하나님은 그토록 큰 비명소리의 기도만을 選好하는 귀머거리라고 생각되지 않기 때문이다.

하나님의 사랑 속에서 영위되는 신앙생활은 어디까지나 건강하고 즐겁고 감사로와야 되지 않을까? 하나님을 사모하는 감정을 영혼의 戀愛에 비유한다면 그 숭고한 사랑이 만의 하나라도 病的, 偏執狂的인 極端의 變態로 과도히 비약해서는 안될 것이다.

토요일에 마실 술, 미리 마셔버리자.
일본에서 막 귀국한 이장호 감독 생일 평계로 소련영화 「인터걸」시사회 참석 약속도 펑크내고 영동에서 일당 뭉침. 이 감독, ○사장,

강우석 감독, 그리고 이 감독의 영어교사인 Lenny Erickson 군.
술이란 아무리 건전하게 마셔도 하나님께서 싫어하실거야 … 특히 새벽
두 시까지 마시는 멍청한 술은 !

제 21 일 / 1990. 5. 19. (토)
하 목사님과의 회동 이후 나름대로 혼자 구상하고 있는 '두란노 마케팅
계획서'를 아직 착수하지 못하고 있다. 〈고려원〉과 약속한 출판원고
마무리와 〈해냄〉의 출판원고 교정작업이 지지부진한 때문.
'오래 참는다'는 말에 구원을 기대볼 도리밖에.

내일은 주일.
절대로 오늘만은 술마시지 말자.

하나님, 이 세상에 술은 왜 있게 하셨나이까 ?

연로하신 어머님의 건강을 위해 혼자서 默想性 기도.
갑자기 연대본부 전보과로 특명이 나서 근무처를 옮겼다고 하는
아들녀석의 원만한 내무생활을 위해서도 默想性 기도.
왜 군이 '묵상성'이냐 하면, 나는 아직 '중얼중얼性'기도를 할 줄
모르기 때문.

"되게 무식한 얼치기도 다 있군 !" 하나님이 그러시겠다.

번 돈도 없는데 89년도분 종합소득세가 까무러칠 만큼 많이 나왔다.
이것도 하나님 뜻일까 ? 아니, 하나님이 국세청장일 리는 없지 !

제 22 일 / 1990. 5. 20.(일)

주일 1부예배 참석. 내가 강제로 '전도'한 제자 박혜선 양도 참석.
온누리 성가대는 언제 보아도 눈과 귀와 마음이 아름답다.

하 목사님 설교 ; "교회생활 수십 년 해도 예수님의 부활하신 뜻을 알지
못하는 사람은 쓸 데가 없다. 따라서 재수 좋으라고 믿는 사람,
건강하게 해달라고 믿는 사람, 남에게 잘 보이기 위해 믿는 척 하는
사람은 다 쓸 데가 없다. 하나님의 말씀대로 살기 위해 믿는 사람만이
진짜다"는 요지.

예배 후 KBS 최상식, 송도영 집사 부부가 중국집에서 점심 냄.
사람들은 맨날 나로 하여금 얻어 먹게만 만든다. 어디, 두고 보자.

예수 골수분자 이정원 양이 또 내게 책 선물함.
초보신자용 기독교 교리 입문서.
LeRoy Eims의 「What Every Christian Should Know About
Growing」

주일 저녁예배 참석
소프라노 김영미 씨의 찬양간증 집회.

화기애애하고 즐거운 경배와 찬양. 목요일 밤에 목격했던 난리굿판과는
너무 대조적인 분위기에 호감. 세계적인 소프라노 김영미 씨의 놀라운
찬양을 순 공짜로 감상하게 해주신 '온누리 프로덕션'의 하용조
매니저에게 감사. 아무튼 오늘은 낮예배 참석에 이어 저녁예배까지 …
2인분 곱배기로 은혜를 받은 날이다.

하용조 목사님이 저녁 예배석에 끼어앉은 나를 문득 발견하시고는

당신의 귀한 손때가 묻은 책 「경배와 찬양」을 선물해주심. 찬송가보다
내가 더 좋아하는 경배와 찬양 … 그러나 나는 콩나물대가리를 볼 줄
모르니 천상 더듬더듬 따라 부르면서 멜로디로나 익히는 수밖에! 나는
6·25 동란 중 피난지에서 책걸상, 올갠, 흑판, 교과서 따위가 전혀 없는
원시적인 노천교실에서 기초교육을 받아야 했다. 그래서 악보 읽는 법을
모른다. 악보는커녕 맞춤법이나 띄어쓰기조차 서툴다. 그럼에도 명색
문필가로 이날까지 밥을 먹고 살아왔으니 스스로 생각해도 한심하다.
찬양간증 후 하 목사님의 간단한 기도 가운데 나로 하여금 그만 눈물
찡하게 만든 한 대목; "하나님, 저희는 하나님을 그토록 자주 배신하고
그토록 자주 잊어먹으면서 살고 있음에도 당신께서는 어느 한 순간도
저희를 잊지 않고 늘 보살펴 사랑해주십니다 …."

예배 끝무렵, 다른 교회에서는 볼 수 없는 놀라운 광경이 벌어졌다.
하 목사님을 비롯, 사역자 전원이 강단에 올라가
마치 학예회 어린이처럼 한 줄로 서서 한 목소리로 찬양을 합창한다.
권위의식을 초월해서 온몸과 마음으로 찬양을 하시는
훌륭한 〈온누리 브러더스〉!
그 모양이 일테면, "하나님 보시기에 좋더라."

윤형주 집사가 또 저녁을 냄. 돈벌이도 시원치 않으면서 항상 음식 값
잽싸게 지불하는 동작은 홍길동과 같아 일행들이 번번이 당한다. 서초동
장국밥집. 信心 깊은 서초구역장 부부, 잘생긴 산부인과의사 부부,
윤씨네 부부, 그리고 이정원 양과 나.
장국밥 외에도 맛있는 빈대떡과 훈제족발을 앞에 놓고도 그 좋은 쏘주
한 잔 곁들일 생각조차 하지 않고 오직 食기도뿐!

좋은 밤에 좋은 사람들끼리 좋은 안주 앞에 놓고도, 술 한 잔 찾는 법
없이 도란도란 마냥 즐겁기만한 이 별종의 無酒人間들 … 마치 외계에서

비행접시 타고 내려온 우주인들 같다. 저녁시간, 성인남녀가 식당에
모여서 술 없이 그냥 맹숭맹숭 안주만 먹어본 희한한 첫 경험！
그런데도 웬지 기분은 까닭없이 좋다.

제 23 일 / 1990. 5. 21.(월)

TV드라마 〈제2공화국〉에서 박대통력 역을 맡은 이진수 씨 인터뷰,
알고 보니 이 양반은 신학대학 출신의 50대 집사.
가난한 연극인으로 한 평생 생활비 한 푼 집에 갖다준 적이 없으나
신앙심 돈독한 부인의 양장점 부업을 통한 헌신적인 내조 덕분에 연극
한 우물을 팔 수 있었다고. 역시 신앙생활을 하는 이들은 어디서나
인간승리. 요새는 돈을 한꺼번에 얻어 부인의 고마움에 보답할 수
있어서 기분이 좋다면서 껄껄 웃는다. 그런데 자칭 술고래란다.

내가 출강하는 중앙문화센터 카피교실 제10기 종강식.
그리스도 믿음의 생활에 대해 '간증' 명색 일석.

관례대로라면 중국집에서 소주파티를 해야 했으나, 술을 가급적 피할
목적으로 강의실에서 그냥 가벼운 과자파티를 시도했다.
그런데 이게 웬일？ 학생들 분위기가 무덤덤.
한 남학생 왈,
"저희가 지금 과자 먹을 나입니까？"

하나님 믿고 시도한 건전파티, 완전 낭패….
하나님이 책임지슈！

예수님 믿고 난 후, 술은 많이 절제가 되는데 …
이놈의 담배는 도무지 조절이 잘 되지 않는다.

제 24 일 / 1990. 5. 22. (화)

신문의 정치면, 정치인들, 실로 한심하다. 그런 정치의 꽁무니
좋아다니며 부화뇌동, 한 술 더 뜨는 경제인들의 작태도 씁쓸하기 짝이
없다. 게다가 그들 중의 상당수는 신문에 보도되기를 명색이 교회의
장로요, 천주교 신자라지 않던가. 그야말로 미약하기 짝이 없는 내
믿음의 눈에도 하나님의 아드드한 권세와 권능과 그 절대의 프로그램이
확연히 보이는데 … 나보다 백 배나 머리 좋고, 돈도 많고, 팔자도 잘
타고난 그 사람들의 마음 속에는 왜 하나님에 대한 외경심이 가능하지
않는다는 것일까 ?

집 아이들과 슬쩍슬쩍 예수님 얘기 나누기 시작.

高 3 막내딸 중간성적표. 결정적인 시기에 성적이 조금씩 올라가고
있음에 대해 감사.

하나님 덕분에 요새는 불면증 완전히 극복하고 숙면을 취할 수 있어서
이제는 잠자리에 들기가 겁나지 않는다. 이제는 커피도 겁나지 않는다.

형체도 없으면서 보이지도 않으면서 항용 전지전능하시기가 그야말로
완벽, 완벽, 완벽하시니 … 인자하신 하나님, 미천한 우리를 무한히
사랑하시는 하나님이지만 사실은 무섭다. 이 세상천지에서 가장
무섭다. 우리들 잘 되라고 엄격, 우리들 구원하시기 위해 사랑 !

서울광고아카데미 저녁강의. 주로 대학 졸업반 학생들과 직장
신입사원들. 기독교 신자 손들어보라고 하니까 고작 5 % 밖에 안된다.
웬일일까 ? 나의 초보 신앙생활에 대해 잠깐 소개.

제 25 일 / 1990. 5. 23.(수)

업무차 農心 회의에 참석한 자리에서 독실한 信心의 교회 집사인 김춘복
실장과 신앙생활의 기적과 보람에 대해 토론.
假飾을 모르는 진솔한 인품의 김 실장 왈, "초보신자에게 베푸시는
하나님의 은혜는 각별하기 마련입니다. 그것은 막 쪄낸 찐빵이
더 뜨겁고 맛있는 것과 이치가 같습니다"라고.

그러니까 나는 졸지에 '막 쪄낸 찐빵'이 되었다. 내심 용기백배
하면서도 혹 언젠가는 내 찐빵이 식어버리지 않을까 걱정 !

김 실장의 또 하나 警句, "우리의 육신은 聖殿입니다."

그러니까 나는 하나님이 내게 주신 그 귀한 성전을 술과 담배로 항상
더럽히고 있는 셈이다.

회의 막간을 이용하여 문득 農心 선전실 직원 이선엽 군을 붙잡고 나의
그리스도 체험담을 들려주며 교회에 나갈 것을 은근히 권유했다. 그런데
이 젊은 사람이 대답을 하지 않고 빙긋이 웃기만 한다. 나중에 알고 보니
이 친구, 돈암동 모 교회 성가대 지휘자란다. 망했다. 초보신자가
고참신자 앞에서 완전히 주름잡은 꼴이다.

「경배와 찬양」 테이프를 즐겨 듣는 내 카 스테레오, 또 고장.
수리공을 시켜 수차 뜯어 보았지만 기계에 이상은 없단다. 그냥 한번
들어간 테이프가 튀어나오지 않을 뿐 … 아무래도 나는 아직 경배와
찬양을 할 자격이 없다는 하나님의 뜻이거나 아니면 이놈의 저질 카
스테레오를 설계한 자동차회사 사장이 '마귀'쪽이거나 ….

서울광고아카데미 저녁강의 후, 학생들한테 강제로 이끌려 소줏집 행.

그러나 나는 강의 중에 信者임을 공언했기 때문에 염치없이 술잔을 입에
대기가 뭐해서 대신 콜라를 마셨다. 한 잔 크아—하고 싶었지만,
신자로서 학생들에게 모범을 보여야겠다는 생각, 그리고 내 자제력을
스스로 시험하고 싶은 생각에서 끝내 참는 데 성공!

제 26 일 / 1990. 5. 24. (목)

무한히 거대하고도 완벽하게 치밀한 하나님의 섭리 구조를 상상해본다.
그것은 지구는 물론, 우주 전체를 감싸고 있는 초고성능의
투명컴퓨터처럼 생기지 않았을까 … 우리의 세속적인 육안에는 비록
보이지 않으나 그 프로그램 속에는 우리 모두의 과거, 현재, 미래까지
다 입력되어 있을 터이다.

점심약속을 해서 만난 동 업계의 K씨, S씨에게 하나님의 섭리에 의한
삶의 평안과 내 경우의 체험담을 토로. 의외로 두 사람 모두에게서
기대 이상의 양호한 반응 간파. 꾸준하고 은근하게 '도전'해볼
대상이다.

윤형주 씨가 정기구독 신청해준 「생명의 삶」 6월호 도착.
부록으로 「큐티 노트」. 그러나 나는 노트나 메모하기를 무척 싫어하는
성미여서 않으나 서나 메모狂인 윤형주 씨와 정반대이기 때문에
큐티 노트는 불행한 임자를 찾아와 외롭게 생겼다.

「생명의 삶」은 매우 훌륭한 인생과 신앙의 修養校本이다. 그러나 언제
읽어 보아도 '오늘의 말씀'은 내 눈에 들어오지 않는다.
하나도 재미가 없다. 그냥 건성으로 훑다가 만다. 그 대신 '오늘의
묵상'과 '오늘의 기도'는 눈과 마음에 쏙쏙 들어온다. 쏙쏙 들어와서는
그야말로 피가 되고 살이 되는 소리가 내 마음의 귀에 들릴 정도이다. 이

상반된 현상은 어쩌면 하나의 상징적인 예후로서 내 신앙생활의
'문제거리'가 되지 않을까 싶은 느낌이 문득 들기도 한다. 일테면 설교
듣기보다는 간증 듣기를 좋아하고, 성경 읽기보다는 찬양 부르기를
좋아하며, 성경교리 공부보다는 祈禱와 省察에 더 뜻을 두려 하는
식의 ….

그러나 그런 것은 내가 하나님의 존재를 믿고 안 믿고 하는 사실과는
다른 차원의 얘기일 수 있다. 어쨌거나 나는 하나님의 존재하심과
역사하심을 굳게 믿고 있기 때문이다.

제 27 일 / 1990. 5. 25. (금)

카 스테레오가 자꾸만 망가져서 매일 즐겨 듣던 「경배와 찬양」 테이프를
차로부터 철수시켰다. 그 대신 「경배와 찬양」을 거실의 오디오에
걸어놓고 가족들과 함께 듣기로 했다. 새벽에 일어나 베란다의 창을
열면 작은 아카시아 숲 너머 명성교회의 쌍둥이 첨탑이 보이고, 그리고
오디오에서는 「경배와 찬양」이 맑은 음향으로 온 집안에 울려 퍼진다.

책에서 재미있는 사진 한 장을 발견했다. 웃통을 발가벗은 한 영국
船員의 뒷모습인데 그 잔등에는 십자가에 못박히신 예수 그리스도의
형상이 크고 선명하게 文身되어 있다. 항해 도중 갑판장은 잘못을
저지른 선원을 매달아놓고 그 등짝에 가혹한 매질을 하는 습관이 저
18세기 적부터 있어 왔는데 정작 형벌을 가하기 위해 웃통을 벗기는
순간 맨살에 그리스도의 그림이 새겨져있으면 아무리 포악한
갑판장이라 하더라도 차마 거기에 심한 매질을 할 수 없었다는 데서
유래한 풍속이라는 것. 예수님한테 매질하는 결과가 되기 때문이겠지,
하하하 … 우습다. 나는 나이가 마흔일곱이나 되었는데도 이런 얘기를
듣거나 읽으면 마냥 재밌어서 죽겠다, 하하하 ….

몇 살이나 더 먹어야 교양미를 갖추고 철이 좀 들까?

점심 후 식곤증으로 잠시 사무실 의자에 기댄 채 깜박 졸고 나니 입안이
텁텁하다. 껌이나 씹었으면… 하고 생각하는 순간, 문득 웬 아줌마가
"대한생명입니다"하고 사무실에 들어와 뭔지 조그만 것을 놓고 나간다.
난데없이 웬 물건인가 하고 집어보니 겉에 '노후설계연금보험'이라고
씌어 있고, 속을 까서 보니 껌이 한 개 들어있다. 보험회사 판촉물인
모양이다. 게다가 우리 하용조 목사님의 큰 동서네 회사라고 하는
대한생명과 껌, 거참 묘하다.

주일 아침 교회 행차 때문에 토요일의 酒黨會同에 대해 내가 좀 찜찜해
하는 뜻을 보였더니 눈치빠른 이장호 감독이 會同曜日을 금요일로
바꾸어 놓았다. 그래서 오늘도 이 감독, 소설가 박영한 씨 등 셋이서
불가피한… 쏘주 一杯!

제 28 일 / 1990. 5. 26. (토)
나름대로 하나님의 섭리에 대한 경외심과 교회에 대한 생각을 늘 한다고
하는데도 지난 주일의 설교 말씀이 벌써 아지랑이처럼 까마득히 먼 곳에
있음을 문득 느낀다. 믿음의 强弱과 信心의 純粹는 비례하지 않는
모양이다. 스스로 반성할 일이다.

「월간 금형」이라고 하는 근로자 대상 잡지로부터 칼럼 원고 청탁. 무슨
얘기를 쓸까 생각하다가 「후라이보이 목사님」이라는 제목으로 곽규석
목사님에 대한 얘기를 썼다. 선량하고 가난한 미지의 근로 청년들에게
뭔가 좋은 얘기를 들려주고 싶었다.

후라이보이 목사님

몇 해만 지나면 이제 지천명을 바라보는 나이에 나는 뒤늦게 기독교의
'초보신자'가 되었다. 초보이기 때문에 당연히 아직은 성경에 대한
지식도 거의 없는 거나 마찬가지이고 기독교의 심오한 교리에 대해서도
솔직히 백지 상태라 할 수 있다. 그러나 아무튼 요새 나는 주일 아침마다
동부이촌동에 있는 온누리교회에 나가 하나님한테 속죄와 구원의
기도를 드린다. 평소에는 남한테 별로 해꼬지 될 일을 하지 않고 오로지
근면하게 땀흘리며 열심히 살아왔다는 자부심이 내게 은근히 없지
않았는데 교회에 가서 목사님의 설교를 들어보니까 내 영혼은 실상
하나님 세계 안에서 온통 죄투성이임을 깨닫게 된다. 일주일에
한두 번씩 나가는 교회는 그러니까 내게 하기 좋은 말로 일테면 '영혼의
세탁소'인 셈이다. 지극한 정성의 전도를 통해 나를 신앙의 세계로
인도한 사람은 아름다운 목소리와 마음씨를 가진 가수 윤형주 씨이다.
그는 나 같은 초보와는 비교도 할 수 없을 정도로 독실한 신심의
크리스챤인데 교회 안에서는 집사의 직위와 함께 대중문화선교위원회의
회장직까지 맡고 있는 열성 신도이다. 지지난 주 금요일, 나는 윤 씨의
초대를 받고 그 집에서 모이기로 예정되었다고 하는 구역예배에 객원의
자격으로 난생 처음 참석한 적이 있었다. 서초동 아파트 단지에서
밤길을 잃어 한참을 돌아다니며 헤매다가 겨우 집을 찾아 들어갔다.
그런데 그곳에는 몇몇 동네 신도들과 함께 낯익은 얼굴의 노신사 한 분
있었다. 지나간 한 시절, 우리 사회에 '코미디언 후라이보이'로 널리
알려졌던 곽규석 씨, 바로 그 주인공이다. 국내 연예계를 주름잡다시피
하면서 인기를 누리다가 잘못 손댄 사업에 크게 실패하고 난 후 온갖
고초를 겪던 중, 인생 새 출발을 위해 미국으로 이주하여 뒤늦게 하늘의
뜻을 깨닫고 신학공부를 시작, 마침내 목회자가 된 기구한 인간승리의
주인공이다. 왕년의 코미디언 기질은 어느덧 60대에 이른 그의 모습
어디에서도 찾아 볼 수가 없고 다만 신심 깊은 '하나님의 종'으로서

직분에 충실한 목사님일 뿐이었다. 이승에서 한평생 사는 동안 사람은
누구나 이분처럼 전혀 다른 모습으로 거듭 태어날 수 있는가 하는
의문이 내게 없지 않았으나 그러나 그날 밤 나는 이 '후라이보이
목사님'으로부터 참으로 좋은 말씀 하나를 들었다.
그 내용을 소개하면 대략 다음과 같다.

"우리는 어쩔 수 없는 인간의 한계를 갖고 있기에 서로 인간관계를
맺고 사회생활을 하는 동안 자칫 미움과 질시와 갈등 속에서 살기
쉽습니다. 내가 만일 누군가를 저주한다고 했을 때 그 저주는
일차적으로 그 사람에게 돌아갑니다. 무언가 그가 저주받을 짓을
당신에게 행했다고 볼 수 있기 때문입니다. 그러나 그 저주는
그 사람에게 작용을 한 다음에 다시 부메랑처럼 반드시 나에게로
돌아오도록 되어있습니다. 결과적으로 내가 그 저주의 대상이 된다는
것입니다. 그러므로 우리는 아무리 밉고 싫은 사람에게라도
누군가에게 저주를 해서는 안됩니다. 또 그와 반대의 경우를
생각해봅시다. 내가 만일 누군가를 위해 축복을 해준다고
가정합시다. 그 축복은 반드시 그 사람에게 좋은 결과를 가져다
줍니다. 왜냐하면 그는 그것을 받을 자격이 있기에 당신이 축복해준
게 아니겠습니까? 그런데 한 가지 재미있는 것은 내가 누군가를
축복해주었을 때 그 축복은 그에게로 가서 작용을 한 다음 반드시
나에게로 되돌아온다는 사실입니다. 저주나 축복은 부메랑의 원리를
갖고 언제나 그것이 출발한 지점으로 되돌아온다는 진리를 우리
인간은 절대로 잊어서는 안됩니다. 그러므로 우리는 어느 경우라
할지라도 이웃을 사랑하고 축복할지언정 결코 저주를 해서는 안될
것입니다."

평범하고 쉬운 얘기 같지만, 우리의 인간사회에서 벌어지는
인간관계의 사연들을 인과론적인 시각으로 찬찬히 관찰해보면 정말로

명쾌하기 짝이 없는 진실의 논리였다. 아울러 그날 밤 나는 후라이보이 목사님의 말씀을 들으면서 나 자신에 대해 많은 반성을 할 수 있었다. 나는 나의 이익이나 자존심을 지키기 위해 혹 남을 비방하고 저주한 일은 없었던가… 나보다 우수하고 뛰어난 사람을 혹 까닭없이 질시한 적은 없었던가… 그리고 나는 지나간 세월 동안 내 자신과 내 가족이 아닌 타인을 위해 과연 얼마나 축복해 준 적이 있었던가….

　돌이켜 생각해보면 내심으로 부끄럽기 짝이 없는 일이었다. 모든 인간관계의 불편한 원인이 결국 내 자신의 수양부족에 있었음에도 나는 그 쉬운 '저주와 축복의 부메랑 진리'를 깨닫지 못했었고, 그러다보니 자연히 그 원인을 남에게 떠넘기거나 팔자소관으로 체념하는 게 고작이었던 것이다. 그런저런 여러 가지 의미에서 이번에 내가 비록 뒤늦은 나이에 초보신자의 자격으로나마 나름대로 신앙생활의 걸음마를 시작하고 있음을 하늘에 대해 감사하고 또 스스로 다행스런 계기라 여기고 있다. 인간사회의 일이라고 해서 그것을 인간적인 단순감정으로만 분석하고 해결하려 했던 지난날의 내가 얼마나 어리석었나 하는 생각을 요즘 나는 하고 있다. 연예인의 생활 속성에 물들고 사업에 실패한 후라이보이 목사님도 거듭 태어나서 새로운 생의 의미를 찾는 데 성공했지 않은가. 자기의 이익이나 감정보다는 이웃의 입장을 먼저 이해하려 하고 이웃의 기쁨을 위해 작은 것이나마 나누어 베풀고자 하는 아름다운 '마음의 교본'을 우리는 그곳에서 발견할 수 있기 때문이다. 한 번뿐인 우리 인생은 어차피 빈 손으로 왔다가 빈 손으로 간다. 피차 어려운 세상 살아가는 처지에 가능한 한 서로서로 이웃을 이해하고 돕는, 그런 착한 마음씨를 길러나가자는 얘기이다.

제 29 일 / 1990. 5. 27. (일)

주일아침 예배―영국에서 오신 목사님이 설교.
노련한 세익스피어 배우처럼 너무 말씀을 청산유수로 잘 하셔서 '귀'로 잘 들어오긴 하는데 '가슴'에 와 닿는 율이 저조하다는 느낌.

윤형주 씨의 경기고 선배라고 하는 김제은 목사님의 영어 솜씨와
통역 순발력에 꼼짝 못하고 놀람.

설교 말씀이 약간 어눌하긴 하지만, 그러나 늘 진실을 느끼게 하는 우리
하용조 목사님의 설교가 외국인 프로페셔널 목사님의 설교보다 더
낫다는 느낌을 받음.

(하용조 목사님의 인상 : 언제 보아도 소탈, 잔잔하고 매력적인 미소,
후줄근한 바지, 속○머리가 약간 빈 듯 엉성한 헤어스타일, 악수를 할
때는 두텁고 따뜻한 손…)

예배 후 최상식 집사, 이정원 양, 박혜선 양 등 일행에게 짜장면 대접.
평소 덜렁덜렁 다혈질인 듯싶은 최상식 씨의 해박한 성경 지식에 은근히
경탄. 가만 보니까 온누리교회에서는 나만 빼놓고 온통 똑똑이들
투성이구랴! 나는 언제나 좀 똑똑한 사람이 되나….

「초보 9주 교육」에 불참한다고 이정원 양으로부터 일침 맞음.
교육 알레르기 체질인 나를 어떻게 설명하나 … 걱정.

윤 집사의 소개로 잘생긴 미남 김제은 목사님의 두텁고 따스한 손과
악수.

제 30 일 / 1990. 5. 28. (월)
'신사 커트 ₩6,000-'이라는 간판을 믿고 '아, 여긴 건전
이발소로구나' 싶어서 마음놓고 문을 밀치고 들어간 곳이 아뿔싸,

퀴퀴하고 어두컴컴한 것이 심히 수상쩍다. 거기에 정체를 알 수 없는 살찐 여자들도 서성거린다. 뭔가 역한 느낌이 들어 주위를 살피며 망설이는데 자꾸 커튼 너머의 안쪽 구석으로 들어가란다. "환기가 잘 안되는 것 같아 답답하다. 그냥 이쪽 바깥 의자에 앉겠다"고 하니 또 다시 팔을 양쪽에서 꽉 잡아 끌어 안쪽 골목구석으로 당긴다. 기원 초기에도 퇴폐 이발소가 있었을까? 예수님은 이웃을 항상 사랑하라 하셨고 늘 져주라 하셨지만, 그러나 지금 나는 예수님의 뜻을 재빨리 배신하지 않는다면 봉변당하기 알맞은 비상국면에 처했다. 순간, 대갈일성과 동시에 그 역겨운 팔을 뿌리치고 그냥 그 불쾌한 곳을 뛰쳐나와 버렸다. 내 뒤통수에 대고 여자들이 "쩨쩨 … 재수없 …" 뭐라고 욕을 해댄다. 일테면 퇴폐 이발소 등, 속을 미슥거리게 만드는 그런 사람들한테 좀더 교양있게 대응하는, 信者로서의 보다 현명한 무슨 매너나 방법도 성경에 혹 나와있는지 … 윤 집사에게 물어보아야겠다. 뭐 잘못 밟은 날처럼 불쾌하기 짝이 없는 오후다.

세상에는 '사랑'하기 힘든 '이웃'들이 더러 있다—라고 말해도 되는 것인지 ….

제 31 일 / 1990. 5. 29. (화)

하나님 믿기로 한 날부터 한밤중에 선잠 깨는 불면증이 없어져 지난 한 달 동안 좋아했는데, 그만 오늘은 잠깨보니 겨우 새벽 4시다. 뭔가 조짐이 수상하다. 내 약한 믿음의 효력이 벌써 떨어진 탓이거나 또는 어젯밤 잠들기 전, 박영한의 리얼하고도 끈끈한 사건 추리소설 「아라베스크」를 읽은 때문일 것이다. 치밀한 구성과 절묘한 문필력 등 나름대로 열심히 쓰긴 썼는데 박영한의 작품 치고는 통속적인 주제여서 마음이 썩 흔쾌하지 못하다.

미국서 학위받고 돌아온 친지가 집으로 찾아와 독한 양주를
스트레이트로 반 병 남짓 홀짝거린 것이 그만 탈이 났다. 속이 쓰리고
아프다. 하나님 싫어하시는 술, 가급적 먹지 말라는 계시로 알고
조심하자.

제 32 일 / 1990. 5. 30. (수)

쓰린 가슴으로 89년도분 종합소득세 납부.
예수님도 세리에게 세금을 내신 적이 있었을까?
예수님도 인간이라면 세금 고민, 가족 걱정, 돈 걱정 따위를 겪었다는
기록이 성경 어디에 혹 암시되어 있을까?

오늘 13:00부터 禁煙決行.
명분은 '하나님 사랑받고 싶어서', 또는 '신자 명색의 낯짝을
고려하여', 그리고 '하나님이 주신 肉身의 聖殿을 조금이라도 건강하게
하기 위하여' 등등 … 그 결심이 얼마나 가나 두고 보자.
지금 시각 17:15.

하나님, 中毒煙魔와 싸울 큰 힘을 제게 주십시오!

제 33 일 / 1990. 5. 31. (목)

하나님의 힘 믿고 이를 악물고 금연 시도했다가 23시간 만에 파계. 어제
오후, 어젯 밤, 오늘 아침까지 잘 참았는데 그만 오늘 낮 중요한 원고에
집중하는 과정에서 다시 도로.

원고 작성하는 일만 아니었던들 더 버텨낼 수 있었을텐데,
직업이 웬수다.

내 정도의 위태위태 얄팍한 신심으로 금연이란 역시 역불급인가….
스스로에게 부끄러운 일이다.

CBS라디오에서 전도 간증이 흘러나오는 것이 들린다. 한 열성교인
사나이가 핸드마이크 사들고 장거리에 나가서는 "천국이 가까왔습니다.
우리 모두 구원받읍시다"라며 큰 소리로 목이 쉬도록 전도했다는
얘기다. 글쎄, 그런 방식의 전도가 과연 바람직한 것일까 ─ 내게는
의문이다. 한 인간의 정신생활이나 신앙결심이 소란스런 장거리에서
소란스런 마이크 소리에 의해 움직여질 수 있을까… 전도도 일종의
'說得 Communication'이라는 게 내 생각!

제 34 일 / 1990. 6. 1.(금)
희한한 '십자가 반지' 구입 사연.
이 감독과의 술약속을 위해 퍼시픽호텔로 가던 중 명동 지하상가
인파 속에서 아뿔싸, 발 삐끗해서 넘어짐.
순간적으로 이건 필시 술꾼 야단치신다는 하나님 생각.
아픈 무릎을 주무르는 내 코앞의 금은방 진열장.
뚜뚜뚜… 내 시선 닿는 곳에서 웬 '십자가 반지'가 빛나다.
그냥 일어서서 지나칠까 생각하다가… 뜻하는 바 분명히 있는 듯하여
큰맘 먹고 문을 밀치고 들어가 선뜻 반지 구입!

내가 이 '십자가 반지'를 끼고 있는 한, 최소한 하루 열두 번씩은
예수님 생각을 아니할 수 없겠지.
미운 놈 욕하고 싶을 때마다 십자가를 생각하고 자제해야지.
손에 쇠못박는 사람들까지도 용서하신 예수님이셨는데, 까짓 미운 놈
하나 용서 못해서야 되겠나….

근데, 내가 졸지에 웬 난데없는 십자가 반지를 끼고 다닌다?
우리 하용조 목사님은 講壇에도 십자가를 모시지 않고 목회를 하시는데,
이거 나는 초보자가 너무 냄새피우는 거 아닐까…?

아무튼 십자가 반지를 낀 몸이므로 이날 나는 술을 조금만 마시고
곱창구이 안주에 콜라를 주로 마심.

술을 먹어도 좋은 기독교파는 왜 없는 것일까? 그 좋은 술을!

사실은 오늘 술약속만 없었더라도 윤형주 씨네 구역예배에 낄
생각이었다. 신앙 속에서 아름다운 생활을 하는 착한 이들을 자주
접함으로써 은연중에 그런 생활의 영향을 받고 싶은 욕심이 내게 있기
때문이다.

제 35 일 / 1990. 6. 2. (토)
자꾸만 까먹는 食祈禱 연습. (기도 내용은 주기도문으로)

새벽에 눈뜨자마자 거실의 오디오에 「전하세 예수」테이프를 걸다.
교회의 '아름다운 사람들' 모습이 떠오르면서 마음이 평화롭고
즐거워짐.

교리 중의 '예수님 다시 오실 그날까지…'라는 대목은 마음에 들지
않는다. 왜냐면 예수님은 이미 오셔서 우리 곁에 항상 함께 계신다고
나는 믿기 때문이다. 정말!
(나중 하 목사님 만나면 물어봐야지.)

제 36 일 / 1990. 6. 3. (일)

주일 아침 1부예배 참석. 성가대 예쁘고, 뚱보 지휘자도 예쁘고, 맑은
미소의 하 목사님도 예쁘고, 온통 예쁜 사람들뿐인 온누리교회.

교회 사람들은 어쩜 저렇게 모두모두 하나같이 선량하고 경건하고
아름다울 수 있을까? 그 착하고 어린 양떼들 속에 흔연한 얼굴로
끼어있는 나는 한 마리 늑대인가… 문득 섬광과 같은 절망!

그런데 말은 바로 하자. 성찬식이랍시고 그 좋은 포도주를 저희들끼리만
옹기종기 모여 엄숙한 얼굴로 홀짝홀짝 돌려 마신다. 나는 속으로
군침만 삼킨다. "酒여, 나를 시험하시나이까?"

이정원 양이 문득 웬 생선 뼈다귀 하나를 내게 준다. 자동차 궁둥이에
붙이고 다니는 거란다. Shalom? 히브리어로 Peace라는 표시이며
그것은 곧 Christian's Car를 뜻한대나 뭐래나.

팔자에 없는 '생선 뼈다귀'를 궁둥이에 붙였으니 이제 새치기는
다 틀렸구랴!

윤형주 집사가 우리 덜 떨어진 얼치기 일행에게 또 점심을 냄.
늘 쓰면서도 늘 즐겁기만 한 그 경이로운 모습이라니….

제 37 일 / 1990. 6. 4. (월)

고르비, 고르비 붐. 온 나라가 떠들석. 내일 아침이면 韓蘇頂上會談이
이루어진단다.

내가 파샥 더 늙기 전에 남북통일은 되려나? 하나님의 존재를 부정하는
저쪽 사람들의 억지 버티기 한계는 어디까지일까? 하나님께서는
저들을 포함한 이 恨 많은 민족의 용렬했던 역사를 용서하시고 과연
통일의 은혜를 베풀어주실 것인가…?

1) 감사하는 생활 : 마음을 겸허히 비운 상태의 평안과 즐거움.
2) 반성하는 생활 : 자신의 인간적인 한계를 부끄러워함으로써 교만의
우를 예방하는 인격완성의 첫번째 조건.

위의 두 가지는 하나님의 섭리에 대한 경외심으로써만 오로지 가능한
중요 덕목.

나 자신을 위해서가 아니라 타인을 위해서 기도할 수 있는 도량이
지금의 내게 주어진 '다음 번 과제'.

Step – by – Step으로 찬찬히 개척해 나아가야지!

제 38 일 / 1990. 6. 6.(수)

기독교인의 파행일지, 기독교인다운 너그러움일지 분간하기 어려운,
요상스런 하루를 보냄.

소설가 朴榮漢 씨의 제의에 따라 금년 들어 처음 쉬기로 작정한
모처럼의 휴일. 아침에 李長鎬 감독과 朴 씨가 우리집에 도착,
쥬스 한 잔씩 마시고 09:30분 내 차로 출발.
중부고속도로 — 곤지암 — 양평 — 홍천행.
홍천 읍내에서 막국수 한 그릇씩 먹고, 13:30경,

朴 씨가 한동안 방을 빌어 작품 「아라베스크」를 쓰던 H 寺의 암자에
도착.
住持인 怪僧(?) C 스님과 인사.

약수터 옆 숲속에서 C 스님으로부터 穀茶(홍천 막걸리)를 대접받음.
이런 때는 食祈禱를 해야 하나, 말아야 하나?
怪僧 C 스님 제자의 쌍철봉 무술시범 감상 후, 우리 일행은
스님으로부터 난생 처음 구경하는 진귀한 새끼山蔘 한 뿌리씩 얻어
먹고, 禪問答이 적힌 휘호까지 선물로 받음.

사단의 유혹 같기도 하고, 인간적인 慈悲의 好意 같기도 하고….

해질녘 돌아오는 길에 수타사 입구 계곡 민박집 마당에서 우리 일행은
모닥불을 피워놓고 박영한 씨의 주특기 요리 솜씨인 '토종닭 돌판
즉석구이'로 소주 한 잔.

자정 직전에 서울 도착. 피곤해서 성경책을 한 구절도 읽지 못한 채
그냥 골아 떨어짐.

제 39 일 / 1990. 6. 7.(목)

윤형주 씨가 점심을 함께 하는 자리에서 내게 묻는다.
"어제 휴일인데 뭐 하셨어요?" 문득 나는 장난끼가 들어 태연하게
대답한다. "어제, 친구들하고 홍천에 있는 절에 놀러 갔었어요."
순간, 윤 집사의 동작이 스톱모션되면서 얼굴이 하얗게 굳어진다.
이 착한 사람을 내가 너무 놀래켰나? 슬그머니 미안한 생각이 든 나는
자초지종을 설명했다. 怪僧 얘기, 무술시범 얘기, 穀茶 얘기 등등….

(나는 속으로) 윤 형, 걱정하지 마시오. 내가 그렇게 호락호락 마음
흔들릴 사람 같소? 그 괴이한 사람, 별로 아름다워 보이질 않더라구!
그 자리에서 내가 속으로 그 승려를 누구랑 비교한 줄 아오? 바로 우리
아름다운 河 목사님과 비교를 하고 있었다오. 하하….

술 친구 K와 저녁식사.
주로 그가 '골프의 즐거움'에 대한 얘기를 하는 틈틈이 내가 시종
'신앙의 즐거움' 얘기를 계속하니까 그는 '인간적으로' 재미 없어 하는
눈치가 역력. 내 마음의 눈에는 무엇보다도 확연하게 보이는 하나님의
섭리 構圖가 왜 그의 눈에는 보이지 않는다는 것일까?
허기야 나도 불과 뒤 달 전에는 그랬었으니까….

그러나 나는 헤어지면서 그에게 한 마디를 찔러주었다.
"지금의 당신에게 신앙생활을 억지로 강요한다는 게 무리라는 것을
안다. 그러나 한 가지는 당부하고 싶다. 언제 어느 경우라 할지라도
우리 피차 하늘의 섭리에 대한 경외심만큼은 잊지 말고 살기로 하자!"

제 40 일 / 1990. 6. 8. (금)

開口即錯!
좋은 말일수록 말을 삼가하자. 좋은 감정일수록 감정을 싸구려로
남발하지 말자. 하나님은 허튼 말과 함께 놀아나는 분이 아니요 싸구려
감정과 함께 덩달아 춤추시는 분도 아니라고 생각되기 때문이다.
마음 속에 진실의 샘물이 자연스럽게 고이도록 자중자애하자.
나는 아직 그야말로 초보 중의 초보신자인 것이다.

내 새벽 조킹코스인 아파트 단지 옆 근린공원에서 혼자 쓰레기 줍기
실시. 아름다운 자연을 주신 분에게 감사를 돌리는 마음에서….

農心의 金 실장, 姜 과장이 날보고 요즘 얼굴이 좋아졌다고 한다.
흐흐흐… 너무나도 당연한 일. 내 스스로 믿거라 하는 구석이 좀
있지요 — 라고 姜 과장에게 의미있는 설명 일석. 독실한 크리스챤인
金 실장은 그 말의 뜻을 금세 알아차리고 흐뭇하게 웃는다.

매달 「생명의 삶」을 꾸준히 엮어내는 분들의 어려운 노고 위에 축복
있기를 !

제 41 일 / 1990. 6. 9. (토)

궁금한 게 하나 있다. 크리스챤들은 만사 제쳐놓고 주일 아침마다
교회당에 나가 예배에 참석하고, 그리고 또다른 번다한 교회관계 일로
교회에서 하루를 보내는 경우가 많다. 그러니까 교인들에게는 이른바
주말 레저가 없는 셈이다. 가족들과 함께 야외에 소풍을 가지도 않고,
친구들과 어울려 드라이브를 하러 가지도 않을 뿐만 아니라 일요 골프도
가지 않는다. 그러니까 주말마다 미어터지는 고속도로의 그 많은
사람들은 전부가 크리스챤이 아니라는 뜻인가? 내겐 궁금하다.
교인들은 언제, 어디서, 어떻게 노나?

교인들은 성인 남자들이 저녁시간에 모였다 할지라도 술 한 잔 먹지
않고, 그냥 어린이들처럼 과자나 과일만 먹으면서 '즐긴다.'
참 이상하다. 나는 아직 그게 잘 되지 않으니까이고, 그리고 내 주변
친구들 중에도 그런 '이상한' 사람들은 하나도 없으니까이다.

아무튼 궁금하다. 주일날 교회에 나가서도 보면 전부가 다 착하디
착하고 행복한 얼굴들인데 … 나만 그런 얼굴이 잘 되질 않는다.

그런데, 그럼에도 불구하고 지난 40일 동안의 나를 돌아보면, 비록

그럴싸한 교인, 교인다운 교인으로 살지는 못했다 하더라도 최소한
교회를 다니지 않는 일반 사람들보다는 무언가 쬐끔 달리 살아왔다고
自評할 수 있다. 그러니까 이러면서 … 조금씩 나도 그 '이상한' 사람들
중의 하나로 변모되어 가고 있는지도 모르겠다.

그것은 '희망사항'일까? 예컨대,
" ~ 콜라만 마시고도 ~ 즐거운 남자 ~, 놀러 다니지 않아도 ~ 행복한
남자 ~~."

제 42 일 / 1990. 6. 10. (일)

주일 아침 1부 예배의 '우리 자리'가 썰렁하다. 각자의 사정으로
멤버들이 다 결석하고, 윤형주 씨와 나만 자리를 지켰다.

하 목사님의 설교 가운데 이 말씀만 나오면 웬지 나는 콧마루가
찡해지면서 눈물이 나온다.

"우리가 하나님을 잊고 사는 동안에도 하나님께서는 우리를 사랑으로
보살펴주셨습니다. 우리가 하나님의 뜻을 배신하고 사는 동안에도
하나님께서는 우리를 사랑으로 보호해주셨습니다."

나는 주일 아침 예배를 마치고는 꼭 사무실로 출근해서 오후 내내 원고
쓰는 일을 하곤 한다. 휴일이라 커다란 빌딩은 텅 비었는데 나 혼자서만
온종일 일을 한다. 내게 있어서 이것은 적어도 '각자가 뿌린 만큼
거두리라'고 한 진리의 성실한 실천으로 지금껏 믿고 살아왔다. 그런데
알고 보니 이것은 안식일에 안식을 취하지 아니하는 일종의 파행에
속한다고 한다. 이를 어쩔거나 ….

제 43 일 / 1990. 6. 11. (월)

신파조의 말 그대로 '人生은 苦海'.

이른바 사랑의 너울을 쓰고 세상에서 이루어지는 인간관계치고
정신적인 부담을 요하지 않는 사랑, 댓가를 요하지 않는 사랑은 존재할
수가 없다. 바로 그것이 인간적인 사랑의 한계이다. 사랑의 이름으로
이루어지는 모든 것들, 일테면 …

子息 : 잘 먹여야 하고, 잘 입혀야 하고, 잘 가르쳐야 하고, 그것도
모자라 늘 걱정으로 좌불안석.

孝道 : 운명적 도리, 또는 無限義務. 한다고는 해도 남는 것은
자책감뿐.

事業 : 刻苦의 긴장 속에서 외로운 경쟁, 또 경쟁 … 숨가쁘다.

交友 : 비중과 균형과 이해와 투자와 시간을 필요로 하지 않는 맹목적
교우란 근원적으로 존재할 수가 없다. 그러다가도 자칫 잘못하다가는
상처받는다. 원만한 교우, 쉽지 않다.

道樂 : 限時的 기대, 부분적 충족, 그리고 실망의 반복인 讀書가 내
유일한 도락이자 현실적인 自己補償 … 그러나 공허하기는 매한가지.

財物 : 주변머리 없는 가난한 글장이한테 웬 재물?

健康 : 거저 오지 않는 것. 노력과 의지와 투자가 끊임없이
수행되어야 겨우 현상유지에 불과한 불안한 것.

名譽 : … 얼마나 부질없는 허상인가.

工夫 : 좋게 말해서 知的 上向意志. 그러나 사실은 해도해도 끝이
보이지 않는 虛無의 다른 이름 ….

주일 아침, 온누리교회의 예배당에 나가 앉을 때마다 나도 몰래
속절없이 눈물이 글썽해지는 까닭 … 내가 이 세상의 인간으로 태어나
일찍이 꿈조차 꿔볼 수 없었던 완벽의 '完全 사랑'을 그곳에서 하나님의
뜨거운 품 속 온기로 직접 체험하곤 하기 때문.
이 놀랍고도 엄청난 '無限 사랑', '無條件 사랑', '無代價 사랑', '無變의

영원한 사랑'을 이 세상 다른 곳 어디서 감히 꿈꿔 볼 수 있단 말인가 !
"우리가 그분을 잊고 사는 동안에도, 우리가 그분을 배신하고 사는
동안에도 그분, 하나님께서는 바로 그 사랑으로 우리를 내내
보호해주셨습니다."

제 44 일 / 1990. 6. 12. (화)

하나님이 인간의 모습을 하고 하늘에 계시다는 말은 틀린 말일 것이다.
잘은 모르지만 내 생각에 하나님이란, 이 우주를 아주 광대하게, 또는
아주 미세하게 빈틈없이 꽉 채우고 계시는 '그 어떤 절대의 존재'이심이
분명하다. 그러나 대개의 사람들이 눈에 보이지 않는다는 이유로
그 靈力的 사실을 믿지 않으니까 보다 못해 하도 답답하신 나머지
하나님께서는 자신의 意中을 하나의 '인간적인 생명체'에 담아서
나사렛의 마을에 슬그머니 태어나게 하신 게 아닐까?
그리고 그 '나사렛의 密使'를 가리켜 우리는 예수 그리스도라 부르는
것이겠지 !

최전방에서 고생하는 쫄병 아들녀석 잘 지내게 해달라고 그동안
자나깨나 기도를 했다. 그 결과가 요상하게 나타났다. 어제 확인이 된
사실인데 … 황량하기 짝이 없는 산꼭대기 말단 박격포 중대 보급계로
근무하던 한심한 녀석이 엊그제 갑자기 연대본부로 발령을 받아 자리를
옮겼단다. 하하하, 웃자. 그것도 자리가 하나뿐인 '연대장실
당번병'으로 !

(아무래도 이번 주일엔 '온누리 투표함'에 헌금봉투 2개를 넣고야 말 것
같은 불길한 예감이 … 든다.)

제 45 일 / 1990. 6. 13.(수)

퇴근길의 차 안에서 CBS에 다이얼을 맞추자마자 대뜸 크게 화가 난
듯한 거친 설교 목소리가 기관총처럼 마구 퍼붓기 시작한다.
"하나님의 신령을 받지 못한 사람은 절대로 구원받지 못합니다,
못합니다, 못합니다. 가난한 사람이 교회에 헌금을 1만 원 냈다고 했을
때, 잘 사는 사람이 헌금을 2천 원 냈다고 가정해봅시다. 이런 사람이
구원받을 수 있겠습니까? 있겠습니까? 절대로 구원받지 못합니다.
못합니다….'"
설교자의 소개가 나온다. S 교파 C 교회 목사님이란다. 어디에 있는
교회인지는 모르나 아무튼 나를 그 교회로 보내지 않으신 하나님께
감사하고 싶다.

CBS방송에서 들을 수 있는 일부 신도들의 간증 중에는 내 얇은
신앙이나 理性으로써는 실로 요령부득인 내용들이 더러 있다. 일테면
"괴로웠던 그날 밤 갑자기 내 방의 창호지 문밖에서 우렁찬 한 소리가
들려 눈을 들어 바라보니 하얀 옷을 입은 천사가 눈부신 황금빛 마차를
타고 나타나서는 나를 어디론가 데리고 갔다… 나는 그날 밤 신령을
받았다"는 등의 스토리. 꿈도 아닌 현실에서 실제로 그랬다는 얘기다.

순복음교회에 다니는 소설가 金承鈺 씨도 언젠가 그 비슷한 얘기를 내게
한 적이 있다. 현실은 아니지만, 밤마다 꿈 속에서 예수님의 하얀 손을
여러 번 보았다는 것이다.

나는 현실에서건 꿈에서건 천사의 황금빛 마차나 예수님의 하얀 손을
한 번도 본 적이 없다. 황금빛 마차커녕 리어카 한 대도 본 적이 없으니
아무래도 나는 신령받는 일하고는 담을 쌓은 모양이다.

내가 생각하는 '신령'의 조건이나 내가 생각하는 '신앙'의 자세하고는

거리가 멀다. 둘 중의 하나가 틀렸거나 아니면 둘 다
틀렸거나 — 英語로는 이럴 때 Confused라고 하는데 — 이거 도무지
종잡을 수가 없구나.

윤형주 씨가 테이프를 보내왔다. 소프라노 김영미 씨의 「성가곡 모음」
중 예술의전당 공연실황. 윤 씨한테 빚 많이 진다.

제 46 일 / 1990. 6. 14. (목)

윤형주 씨가 '한국의 파바로티'라고 자랑하던 우리 교회 성가대
지휘자인 뚱보 박종호 씨를 충무로로 불러냈다. 내게 정식으로 소개를
시켜주고 싶어서란다. 그리고 또 점심을 샀다. 나이는 많이 어리지만
파바로티는 신앙인격에서 나보다 대선배인 것을 첫눈에 알 수 있다.
게다가 사람이 순수하기 그지없다. 그러니까 그의 찬양노래는
사람들한테 맑은 감동을 주는 모양이다. 뚱보, 부럽다.

식사 후 커피를 마시는 자리에서 장난삼아 우리 교회에서 聖歌師 급료로
얼마 받느냐고 물어보았다. 한 달에 ○○만 원이란다. 놀라는 나에게
뚱보는 태연했다. "파트타임 봉사인데 그것도 많이 주시는 거죠"라며
소년처럼 웃는다. 아무리 99% 봉사라고는 하지만 최고급 인력으로
최고급의 성가대를 운영하는 급료 책정치고는 너무 짜다. 나중에 하
목사님한테 착한 뚱보 월급 좀 올려주시라고 건의를 해야겠다.
그러면 필경 하 목사님은 "그래, 이것도 하나님의 뜻이겠지"라며
흔쾌히 수용, 再考를 하실 것이다.

제 47 일 / 1990. 6. 15. (금)

아기 손바닥만한 미니 성경책을 구함.

신약과 시편이 실려있어서 호주머니에 휴대하기 좋다.
게다가 앞부분에는 초심자인 내가 꼭 필요로 하는 '성구 찾기'가
붙어있다. '두려울 때 = 시편 34 : 4, 마태복음 10 : 28 / 걱정될
때 = 베드로전서 5 : 6, 7, 빌립보서 4 : 6' 등으로 된 형식이다.

내가 아직 잘 몰라서 그렇지, 사실 성경은 세계 최고의 신경정신과
의사임을 조금씩 눈치챌 수 있겠다. 그러나 사실 내가 가장 좋아하는
성경구절은 고린도전서 13장이다. 아무때 읽어도 꼼짝 못할 완벽의
'사랑'이 그곳에 있기 때문이다. 누가 뭐래도 위대한 것은 위대한 것!

아무리 생각해도 거 참 묘하다. 묘하고도 묘하다. 일상생활을 통해
사소하게라도 좋은 일이 생길 때마다, 조금이라도 언짢은 일이 있을
때마다 … 사사건건 머리 속에 자동적으로 맨 먼저 섬광처럼 떠오르는
대상은 '하나님'이다. 매사를 하나님의 어김없는 섭리로 결부시켜
거기에 의존하고 생각하는 게 그야말로 자동적인 본능처럼 돼버렸다.

　~좋을 때 : "아, 놀라우신 하나님, 제게 또 이렇게 챙겨주십니까?
　　　　　　감사합니다."
　~나쁠 때 : "어이쿠, 엄정하신 하나님, 인과응보의 계시를 제게
　　　　　　이렇게 또 내려주시는군요. 모든 원인이 제게 있는 것으로
　　　　　　알고 냉큼 반성하겠습니다!"

사람은 알 수 없다더니 … 나도 어느덧 '半 예수쟁이' 다 돼가는
모양이다. 그건 그렇고, 하나님, 제게 그럴 자격이 과연 있습니까?

제 48 일 / 1990. 6. 16. (토)
일상을 통해 성경 말씀이 가치 판단의 기준으로 조금씩 정화되어 갈수록

그 말씀의 기준과 배치되는 인간들, 또는 인간성들에 대한 실망이 더욱 커가는 것을 느끼게 된다. 성경 알기 전에는 그저 그렇고 그런 보통사람으로 여겨지던 이웃들이 지금은 '별로 좋지 않은 사람들'로 보이는 것이다. 예수님의 말씀은 좌우지간 인간을 사랑하라 하셨는데 … 내 도량머리로는 실로 힘든 일이다. 말씀에 충실하지 못한 나 자신의 인간을 잘 알기에 우선 스스로를 사랑하기가 어려운 마당에서 어떻게 감히 다른 인간까지 사랑하는 일을 실천할 수 있을 것인가. 아무튼 인간들에 실망하면 할수록 그것에 대한 보상심리로서 속마음은 더욱더 '하나님의 완벽하신 사랑'쪽으로 기울어 어쩔 수 없이 기대게 된다.

이게 바로 믿는 이들의 이른바 '獨善的 함정'에 빠지는 초기 증상은 혹 아닐까?

어젯밤, 어떻게 해서든지 윤 집사네 구역예배에 참석해야 했었는데, 그만 실천하지 못하고, 하등 의미 없는 시끄러운 분위기의 이태원 레스토랑에서 술친구들과 11시까지 곤혹스럽게 버티며 앉아있었던 것이 후회된다. 그러나 어김없고 틀림없으신 하나님께서는 그 좌중에서의 내 마음이 결코 즐겁지 않았다는 것을 알고 계시겠지.

제 49 일 / 1990. 6. 17.(일)

주일 아침 1부예배 참석. 목사님 설교 도중에 깜빡 졸음.
어젯밤 박영한 씨네 집에서 너무 늦게까지 뭉기적거렸던 게 탈이다.
그런데 문득 목사님 설교 말씀중에 '무등록 교인은 얌체신자'라는 대목이 귀에 남는다. 그러니까 나도 아직은 무등록 얌체신자인 셈이다.
등록은 어차피 하긴 해야겠는데 그러자면 8준가 9준가 성경교육을 받아야 된다. 교육은 딱 질색, 어딘가 소속되어 묶이는 것도 딱 질색인 내 성격이니 … 이건 아무리 생각해도 큰일이다.

어젯밤 소설가 박영한 씨 집에는 박씨 부부, 이 감독 부부, 그리고
MBC – TV 구성작가 홍하상 씨 등이 모인 친목 자리였다. 나는 술을
삼가고 그냥 사이다만 마시며 자리를 지켰으나 다른 이들의 분위기는
얼큰하게 무르익었다. 모두 밤들을 새울 모양이어서 나는 혼자
일어서기로 했다. 내일 아침 교회에 갈 몸이 너무 늦어서는 곤란하기
때문이다. 나의 그런 눈치를 채고 사람들은 의리없다고 난리를 부린다.
그러나 나는 단호히 자리를 차고 일어서서 나왔다. 예수님 믿기
시작하고부터 나름대로 정해놓은 초보신자의 생활규범을 깨뜨리고 싶지
않기 때문이었다. 예수님 때문에 그만 나는 '友情의 자리'를 박차고
나와야 했다. 신앙인의 행동반경은 보통사람들의 그것에 비해 좁을 수
있다는 것을 실감하고 약간은 외롭다는 느낌.

지금껏 다정했던 친구들과의 미래가 아무래도 원만치 못할 것 같은
예감 … 당분간 외로운 투쟁이 불가피할 것 같다.

나로부터 멀어져갈 친구들을 생각하면 우울하고, 내가 의지할 하나님의
사랑을 생각하면 마음 한 구석이 뜨뜻해지는 것 같기도 하고.

제 50 일 / 1990. 6. 18. (월)

지난 달, 권투 해설가 한보영 씨가 「복싱 매거진」이라는 전문지를
창간한 이후 복싱狂인 나는 그 잡지에 '이만재 복싱칼럼' 연재를
시작했다. 서로가 상대를 주먹으로 가격함으로써 이루어지는
복싱경기는 양보하고 져주고 이웃을 사랑해야 하는 기독사상과 어떤
해석관계를 이루는 것인지 자못 궁금. 군에 입대하더라도 결코 총을
손에 잡으려 하지 아니한다고 하는 어느 교파의 얘기가 문득
생각키운다.
상대를 제압하고자 하는 공격적 투지가 아니고서는 복싱을 할 수가

없다. '하나님의 뜻'을 헤아리며 복싱경기에 임하려면 과연 어떤 자세를
가져야 하는 것일까?

예수님 믿고 난 이후, 각박했던 마음에 여유가 생긴 것은 고마운
일인데, 그런데 뭔가 마음 속에서 긴장감의 나사가 풀어져 무사태평,
안일해지려 하는 달갑잖은 조짐이 보인다. 반 평생을 오직 치열한
긴장감 속에서 살아온 내가 '安逸'이라니!

제 51 일 / 1990. 6. 19. (화)

윤형주 씨와 함께 하 목사님 방문. 하 목사님의 實弟 하스데반 선교사님
동참, 모밀국수 중식 후 신동아 쇼핑 5층 커피숍에서 〈두란노서원〉 사업
활성화 방안에 대한 會議. 부족한 내 의견에도 만족한 얼굴로
기뻐하시는 인자한 하 목사님. 그리고 하 목사님보다 더 기뻐하는
윤형주 씨의 널찍한 마음씀씀이. 이 모두가 다 신앙을 통한 수양의
세계이리라.

(약 3시간 반 동안 자리를 비웠는데 오늘도 역시 사무실로 걸려온
전화가 없었음. 참으로 이상한 일. 이런 기적을 누가 믿을까?)

처음 인사한 하스데반 선교사의 소년처럼 맑은 인상이 부럽다. 나는
아주 어릴 때 말고는 평생 동안 한 번도 저토록 맑은 얼굴을 가져본 적이
없다. 산전수전, 파란만장한 내 운명의 안쓰러움.

창세기에서 출애굽을 거쳐 고난의 광야를 헤매다가 요단강을 건넌 후
마침내 젖과 꿀의 가나안에 이르는 구약성서의 장구한 역사를 우리의
신앙인생 道程에 대입시켜 명쾌한 논리로 설명해주신 하 목사님!

"당회장 목사로서 내가 가장 경계해야 될 대상은 바로 교만이라는
이름의 마귀입니다. 내 마음 속에 교만의 싹이 조금이라도 튼다 싶으면
하나님께서는 꼭 나를 病席에 눕게 만듦으로써 엄중히 경고를 하시곤
하시지요. 하하하 …."

허허허도 있고, 흐흐흐도 있고, 후후후도 있으련만, 자기 姓이 河氏라서
우리 河 목사님은 늘 河河河 … 웃는다. 하하하 … 부드러운 웃음 속에
숨은 무서운 自己省察! 그러나 나는 일찍이 눈치챘다. 누구도 못말릴
고집장이인 우리 河 목사님의 병환은 목회와 두란노서원의 겸무 과로가
원인이라는 것을 …. 또한 일테면 … 하나님 보시기에 항용 예쁘고
귀여울 우리 河 목사님의 지극한 信心을 어느 장님인들 모르랴.

하 목사님이 점심때 사주신 모밀국수가 내 뱃속에서 기적을 연출하고
있다. 저녁 강의 나갈 시간, 즉 라면 새참을 먹을 시간이 다 되었는데도
이상스럽게 오늘은 허기가 지지 않는다. 허기가 지기는커녕 오히려 배가
두둑히 부른 상태다. 밥이나 고기를 먹은 것도 아니고 그냥 간단한
모밀국수를 먹었을 뿐인데 이럴 수가 ….
내 배꼽시계는 그리니치 천문대 시계보다 더 정확해왔지 않은가.
이런 이상한 일은 일찍이 없었다. 저녁 강의가 다 끝날 시간까지도 '하
목사님의 모밀국수'는 내 뱃속에서 다만 든든하기 짝이 없다.
이 기적적인 뱃속사정을 누가 알리요.

제 52 일 / 1990. 6. 20. (수)

해냄출판사에서 새 책이 나옴.
「보다 나은 세계, 보다 나은 여성」이라는 긴 제목의 책.
윤형주 씨의 권고에 따라 비록 변변치 못한 책이나마, 주님의 세계에서
만난 아름다운 분들에게 한 권씩 증정하기로.

(증정 : 하용조 목사님, 김제은 목사님, 윤형주 집사님. 한효성 집사님,
박광수 집사님, 김철성 집사님. 안성기 집사님, 맹건영 선생님, 이영희
선생님)

제 53 일 / 1990. 6. 21. (목)

고려원 主幹이자 소설가인 이윤기 씨가 내 원고 「카피라이터 入門」 출판
계약차 사무실을 방문, 첫인사.
소설가답지 않게 육척 거구이면서 강인하게 생긴 독수리 눈빛에 살기가
도는 듯한 섬찟한 느낌과 더불어 웬지 어울리지 않는 암울한 고뇌의
깊은 그늘이 함께 비침.
함께 점심을 먹으면서 그의 특이한 인상에 대한 내 느낌을 얘기했더니
그는 자조 섞인 헛헛한 웃음과 함께 그의 개인 이력을 실토.

그는 공수부대 신분으로 월남전 참전용사. 게다가 정글의 特殊戰
要員으로 위기일발의 극한적인 死境 속에서 '오로지 사람 죽이는 일만을
전문으로 훈련받은 게릴라' 출신.
가엾은 무공훈장의 전쟁영웅으로 20년이 지난 지금까지도 戰場의
후유증에서 아직 벗어나지 못한, 일테면 정신적 불구자.

어쩌다가 텔레비전에서 월남전 영화라도 보게 되면 지금도 순간적으로
이성을 깜박 잃고 뛰쳐나가 '소주를 네 병쯤 마구 들이켜야만' 견뎌낼
수 있단다. 숙연한 기분으로 나는 조심스럽게 그 상처받은 마음을
하나님께 의탁하는 게 어떻느냐고 물었다. 그런데 그의 대답은 뜻밖에도
"나는 신학대학을 다닌 사람이오 !"
한 치 앞의 삶이 보장되지 않는 죽음의 밀림을 魔獸처럼 헤집고 다니며
살생과 폭파 전문가로 양성된 신학대학생 ! 軍令 수행의 이름 아래
꽃다운 나이로 그가 겪었을 고뇌와 갈등의 처절한 깊이를 상상해본다.

그가 걷는 文學의 길을 통해 그의 人性이 다시 회복되고, 더 늙기 전에
그 마음의 상흔이 치유될 수 있도록 하나님께서 따스한 긍휼로 보살펴
주시기를 ….

제 54 일 / 1990. 6. 22. (금)
이란에서 대지진 발생, 2만 5천 명의 목숨을 앗아갔다는 보도.
자연현상의 우발인가, 아니면 하나님의 어떤 응징일까?

이 감독 일당과의 金曜 定期 술약속 하지 않고, 서울카피라이터즈클럽
회장단의 저녁 모임에 참석. 좌중이 전부 쏘주로 통일하였으나 나는
알콜 성분을 조금이라도 덜 섭취할 뜻으로 맥주 한 잔으로 버팀.
술자리에서 걸맞잖게 예수님 얘기만 간간이 꺼내는 나를 두고, "사람이
달라져 재미가 없다"고 불평하는 일행에게 약간 미안. 일찍 자리를
끝냄.

엉성한 초보신자, 세속적인 처세에는 확실히 불편한 점도 없지 않다.
中國의 기독교 신자들은 술을 먹어도 괜찮다는데 … 나는 왜 하필이면
이 근엄한 기독교 반도에 태어난 것일까?

그러나 이제부터는 밤늦게까지 술을 너무 과음하는 친구들과는 약간
거리를 두기로 결심!

아예 금요 술약속 제도를 없애버리고 이제부터는 가능한 한 윤형주 씨네
구역예배에나 참석해서 보다 아름답게 사는 사람들을 만나기로
해야겠다.

제 55 일 / 1990. 6. 23. (토)

윤형주 씨, 미국 로타리클럽 총회행사 참관차 출국한다고 전화.

신문의 사회면, 정치면은 늘 어둡다. 경북도지사 비리 적발로 구속,
수협회장도 선거 부정으로 연행 수사. 그리고 서울시민이 마시는
한강상류를 더러운 오물 쓰레기로 불법 매립한 건설회사 입건 등등….
저들이 만일 하나님의 품 안에서 '하늘의 율법 무서운 줄 알고' 조금만
더 겸허한 자세로 자기 양심을 진단하며 바로 살았더라면 결코 쇠고랑의
비극을 맞지 않았을 것을….

어디 비단 저들뿐이랴. 오늘날 지구촌의 구성원된 모든 개인과 모든
국가들이 깨달아야 할 것은, 하나님의 섭리 안에 정치, 경제, 문화,
사회, 교육, 의학, 과학, 건강, 행복, 정의, 도덕 등 우리 인류사회가
필요로 하는 모든 항목요소의 기준들이 다 포함 명시되어 있다는 엄연한
사실일 것이다. 이 세상에서 벌어지고 있는 모든 문제의 근원은 바로
거기에 있을 테니까 !

KBS – FM 의 아침 생방프로인 「한진희의 음악 앨범」에
갑자기 게스트로 출연.
어젯밤 TV드라마에 한진희가 나오는 것을 보고, 저 뺀질한 녀석,
어쩌구 하면서 무심코 투덜거린 경솔함을 반성하라는 뜻으로
하나님께서 하필이면 오늘 아침 그 프로에 나를 내보내 그와 對談하게
하신 것이리라…. 어휴, 못말릴 우리 하나님 !

어떤 인간을 겉만 보고 피상적인 선입감에 따라 잘못 평가하는 경솔한
습성을 없애야겠다.

제 56 일 / 1990. 6. 24.(일)

주일 아침예배 참석. 어제 출국한 줄 알았던 윤형주 씨가 나타나 깜짝
놀람. 오늘 오후 비행기를 탈 예정이라고.

윤형주 씨는 메모狂이다. 일상생활을 통해서도 늘 가방을 들고 다니며
필요한 사항을 메모하는 꼼꼼하고 정확한 습관을 익히 알고 있었지만,
특히 교회에서 예배드릴 때는 그 메모벽이 극치에 이른다.
목사님의 설교 내용을 단 한 마디도 빼놓지 않고 깨알보다도 더 작은
글씨로 週報의 뒷면에 일일이 메모를 한다. 끝이 날카로운 검정細筆로
우선 꼼꼼히 기록을 한 다음, 붉은색 볼펜을 사용하여 투명 꽃무늬가
그려진 국민학생용 플라스틱제 15cm짜리 잣대로 밑줄까지 잽싸게 그려
넣어가면서 완벽한 솜씨를 발휘한다. 산만한 두뇌로 늘 덜렁대기만 하는
내 눈에는 바로 옆자리의 이 위대한 메모狂이 정녕 경탄의 대상일
수밖에 없다. 그러니까 예배시간중의 그의 손은 강단에서 설교하시는
목사님의 입보다 항상 더 바쁘다.

오늘 목사님의 설교; 1) 천국의 문을 여는 열쇠는 '용서'.
　　　　　　　　　　(감동적인 말씀이라 생각됨)
　　　　　　　　2) 성경교육을 받으라. 받기 싫으면 가르치라.
　　　　　　　　　　(나는 그 둘 다 싫으니 야단났다.)
예배 후의 신동아 커피타임 가운데 최상식 집사의 좋은 말을 들음.
"기독교인에게 죄가 되는 것 두 가지가 있는데, 그 하나는 物慾의
지나침이요 또 하나는 매사를 하나님의 뜻에 맡기려 하지 않고
인간된 자가 스스로 사서 하는 근심과 걱정이다."

제 57 일 / 1990. 6. 25.(월)

우리 집안을 하루 아침에 풍지박산, 산산조각으로 만들어놓은 6·25동란,

73

벌써 40년 전의 일이다. 40년 동안 나는 어떻게 그 처참한 폐허를 뚫고 살아왔는가… 10대 초반의 어린 나이에 홀로 무작정 가출한 이후, 오로지 고난과 핍박과 형극이라고밖에 말할 수 없었던 내 '악전고투의 세월'들이 파노라마처럼 뇌리를 스쳐 지나간다.

그런 와중에서도 이날 이때껏 굶어 죽거나 짓밟혀 죽지 않고 살아남을 수 있도록 나도 몰래 나를 지켜 보살펴주신 하나님의 은혜에 감사하는 마음을 나이 마흔일곱이나 되어서야 비로소 깨닫는다.
지금껏 나는 그것을 내 노력과 내 힘이었던 것으로만 굳게 다짐하면서 內心의 교만을 키워왔던 것이다. 일테면, 원만한 가정적 배경을 업고 온실 속에서 평탄하게 자라온 보통사람들의 상식적인 생애를 은근히 속으로 하찮게 낮춰보기까지 하면서 ….

제 58 일 / 1990. 6. 26. (화)

"오늘 또 하루 살도록 새로운 날을 주셔서 감사합니다. 지나간 날들을 되돌아보면 그 하루하루가 다 주님의 뜻으로 주어진 귀한 날들이었음에도 불구하고 저는 그 의미를 미처 깨닫지 못하고, 아니, 그 의미는커녕 주님이 제 머리 위에 항상 계신다는 사실조차 깨닫지 못하고, 제 불우한 운명에 대한 발악을 하면서 그렇게 성난 원숭이처럼만 살아왔습니다. 그러나 저로 하여금 이제 비록 뒤늦게나마 주님 앞에 헛된 마음 모두를 가만히 비워 깨끗이 항복하고, 주님의 무한히 크신 섭리를 진심으로 깨달아 영접하게 해주심에 대해 감사합니다. 저는 이제부터 시작합니다. 부끄럽고, 불안하고, 두려운 마음으로 이렇게 제2의 인생을 조심스럽게 쭈볏거리며 새로이 시작하려 합니다. 더러는 시험도 주십시오. 저의 진심이 주님의 존재를 깊이 깨닫고 인정하고 있는 이상, 어떤 시험이 제게 주어질지라도 주님을 결코 의심하지 아니하고 극복해나갈 자신이 있습니다. 주님이 제 마음

안에 살아계시기에 저는 불면증도 이겨낼 수 있었고, 외로움이나
두려움도 이렇게 나름대로 극복하면서 열심히 살고 있습니다. 오늘
이 새벽에도 홀로 일찍 일어나 베란다의 뿌연 창을 열고는, 안개 낀
아카시아 숲을 내려다 보고 雨霧 자욱한 하늘을 올려다 보면서 주님께서
주신 이 새 날의 의미가 무엇일까를 마음 속에 새겨보고 있습니다.
제가 살아갈 하루하루의 일상에 늘 주님의 사랑과 의미를 스스로
후추가루처럼 조금씩 뿌려가면서, 주님의 사랑을 맛있게 야곰야곰
음미도 하면서, 주님의 섭리를 잊지 않고 살아갈 작정입니다. 차마
여기에 다 적어 올리지 못하는 恨스런 얘기도 제 가슴 속에는 아직껏
켜켜로 맺히고 쌓여있음까지 주님께서는 이미 다 내려다 보고 계신 줄을
모르지 않습니다. 다만 긍휼로 헤아려주시기 바랄 뿐입니다. 그런데
쬐끔 이상한 일이 하나 있습니다. 이렇게 서툴게나마 주님을 생각하면서
마음의 기도를 한참 하다보면 왜 꼭 종국에 가서는 … 눈물이
찔끔거려지는 것일까요? 이 나이에 챙피하게 …."

제 59 일 / 1990. 6. 27.(수)

이상한, 참으로 이상한 일이 요즘 내 몸 안에서 일어나고 있다.
내 몸이 쏘주를 받지 않는다. 술고래 반평생의 관록이 졸지에 어떻게
되었다는 것일까? 작은 잔으로 한 잔도 채 마시지 않아 얼굴에 열불이
오르고 눈이 충혈되며 머리가 어지러워지는 것이다. 오늘도 내가 야간에
출강하는 서울광고아카데미 21기 수료식 파티 석상에서 또다시 확인된
이변이다. 최근부터의 일이다. 물론 건강상태는 지극히 정상이다. 내
몸이 그 좋아하던 쏘주를 받지 않는다니 누가 들어도 믿어질 성질의
일이 아니다. 하나님과 쏘주는 돼지고기와 새우젓처럼 서로
상극관계라도 된다는 말인가? 아무리 그렇더라도 … 내 몸에서 요즘
발생하고 있는 이 이변은 어떻게 설명되어야 할까? 아무튼, 가만히
꼽아보니까 내가 술친구 끊자고 작심했던 이후부터의 일인 듯싶다.

그러나 속단은 경솔. 어디, 이제 한두 번 더 시험해볼 일이다. 사실이
그렇다면 …?

제 60 일 / 1990. 6. 28. (목)

불교 집안의 자제인 농심 선전실 강 과장이 마침내 교회에 다니기
시작했노라는 보고다. 이게 어찌 된 일인가? 그러니까 내 '찐빵'
후배가 한 사람 더 생긴 셈인가? 청파동교회에 나간 지 이제
2주일째란다. 하나님의 존재를 확실히 인정하고 나니 그렇게 마음이
편하고 즐거울 수가 없단다. 그 첫 기분을 나는 알지.
자기 상사이자 집사인 김 실장의 영향이 90%쯤 작용했을 터이고,
그리고 내 초보 간증 전도 영향도 아마 10%는 됐을 터이다. 좋은 일을
축하하기 위해 김 실장, 강 과장과 함께 근처 식당에 가서 경건한 식기도
후 지글지글 補身고기 포식!

김 실장의 지론 : "우리 몸은 곧 聖殿이다."

제 61 일 / 1990. 6. 29. (금)

기독교방송에서 녹음중계하는 부흥회 설교중 가끔씩 어떤 목사님들은
내 마음에 들지 않는다. 심히 격노한 큰 목소리로 신도들을 마구마구
꾸짖듯 설교를 하는데 그것은 실로 전혀 바람직하지 못한 것처럼
여겨진다. 목사나 평신도나 늘 즐겁고 감사한 가운데 축복스런
신앙생활을 해야 할 터인데 어쩌자고 저렇게 스피커가 찢어지도록 큰
소리로 마구 화를 내는 것일까? 그런 목사님들의 설교를 들어보면 한
가지 공통점이 있다. 설교 내용이나 어휘 구사력이나 논리의 전개에
있어 대체로 앞뒤가 잘 맞지 않고 졸렬하다는 사실이다. 방송국 측에서
중계 대상을 좀 냉정히 선별했으면 좋겠다. 왜냐면 아직 믿지 않는

사람들이 만일 그런 방송을 우연히 듣게 된다면, 하나님 믿고 싶은
생각이 싹 가실 것이 자명하기 때문이다.

李 감독 일행과의 '酒曜日' 약속을 피하고 대신 윤 집사네 동네 구역예배
참석. 밤 11시까지 도란도란 예배, 찬송, 일상 간증… 그리고 예상한
대로 애들처럼 부침개, 생과자, 과일 등 군것질 먹기 경연대회.

〈참석자〉: 구역장인 한효성 執事 부부, 산부인과의사 박광수 執事 부부,
또 산부인과의사 김철성 執事 부부, 구역예배 놓칠새라 미국서 헐레벌떡
도착한 윤형주 執事 부부, 그리고 화끈한 여장부 교수이자 화가이며
집주인인 이영희 執事 홀로, 그리고 나 이만재 無事 홀로.

나만 빼놓고, 좌중이 모두 선량하고 信心 깊기가 그지없어 天堂
맨션분양 0순위에 해당하는 아름다운 사람들. 나도 이런 이들과 오래
교제하다보면 혹 천당 변두리 11평 아파트 문간방이라도….

(경건한 표정과 경건한 책상다리로 얌전한 書堂도령처럼 너무 오래 앉아
있어서 디스크 허리 몹시 아픔)

제 62 일 / 1990. 6. 30. (토)
오전, 새 책 냈다고 「스포츠조선」 인터뷰.

야간 대학원에 다니면서 불교신문사 신입 기자로 취직한 제자 H.
자기가 쓴 기사를 읽어달라고 매주일 불교신문을 우편으로 보내온다.
한 주일도 빼놓지 않고 꼬박꼬박 챙겨서 겉봉 쓰고 우표 붙여 보내주는
정성이 대단하다. 이런 경우, 예수님 믿는 자로서 이 불교신문을 읽어야
되나, 말아야 되나?

예수님도, 부처님도 모두 착한 분들인데 이들은 천국에서 남과 북처럼 갈라서지 않고 서로 화기애매하게 잘 지내시는 것일까 ? '천국의 명부에 석가 姓 가진 사람은 없다 ! '는 게 아마 기독교의 교리일지 몰라.

소설가 崔仁浩 씨 來電, ○○○件으로 사과한다는 내용.
友情管理란 결코 쉽지 않은 일. 얼마나 많이 참고, 또 얼마나 많이 양보하며 이해해야 되는지 ….

어제 술약속을 피했더니 아니나다를까 오후 5시경, 이 감독으로부터 대뜸 전화, 하이야트 풀장 夜景 속에서 알콜이 거의 들지 않은 음료수만 홀짝거리다가 일찍 자리를 떠 귀가. 내일은 주일이니까.

어느날부터 갑자기 술을 받지 않는 내 체질 변화를 이 감독은 아직 모른다.

제 63 일 / 1990. 7. 1. (일)
장마중 오랜만에 화창한 푸른 하늘.
푸른 하늘처럼 가볍고 즐거운 마음으로 주일예배 참석.
찬양 도중 병약해보이는 성가대원 1명 졸도.

하 목사님, 하기수련회 참가 안내 공시.
문제다. 내 '1인기업' 사무실은 어쩌나 ….

신동아 커피타임 생략하고 바로 사무실로 직행.
"안식일에도 안식 못하고 일을 해야 하는 이 불민한 인종을 부디 굽어 살피소서 !" 금년 들어 한두 번밖에 쉬질 못했다.

기도를 하지 않아도(할 줄 모르니까), 성경을 보지 않아도(읽어도
내용을 잘 이해하지 못하니까), 항용 내내 주님 생각에 기쁨과 평안으로
가득가득 찬 내 靈肉을 하나님께서는 뭐라고 평가하실까 …?

제 64 일 / 1990. 7. 2.(월)

지난 두 달 여 동안의 신앙인 지향적 생활을 통해 깨닫고 경험한 일들은
모두가 부족한 나의 '자기완성'을 위해 필요 불가결한 요소들이었다.
그러나 그러는 과정에서 스스로 경계해야 할 미세한 가능성들도
도출되었다. 일테면 다음과 같은 요소들이다.

1. 자기확신이라고 하는 주관적 판단 습성으로 인해 이웃에게 혹
   끼칠지도 모를 獨善的 태도의 가능성.
2. 신앙을 빙자하여, 또는 신앙의 이름으로 스스로를 꾸미기 쉬운
   僞善的 행동양식의 가능성.
3. 성경의 교리를 샤머니즘으로 수용하는 盲信, 또는 狂信 가능성.
4. 스스로 돕는 자를 돕는다는 섭리를 외면하고, 하나님의
   전능하심에 不勞 寄生, 依存하려 하는 無反省的 타성으로서의
   안일과 나태 가능성.
5. 교리를 빙자하여 사사건건 자신을 합리화하는 무비판적
   我田引水의 가능성.
6. 교회생활을 통해 기도능력, 교리 이해능력 등이 점차로
   익숙해짐에 따라 형식미의 자기만족에 빠진 '신앙 숙련공'으로
   전락, 하나님의 진정한 '섭리 울타리'를 이탈하게 될지도 모를
   환각적 자기도취의 가능성.
7. 교회세계에서는 좋은 말들이 너무 쉽고 흔하게 남용되는 것이
   겁난다. 아무리 좋은 말이라 하더라도 그것이 입 밖에 나오는 순간
   그 진실의 색깔은 변질된다는 開口卽錯의 진리도 있지 아니한가.
   언젠가는 내가 말만 번드르르한 '좋은 말꾼'으로 혹 타락할지도

모를 무서운 가능성.

(말없는 眞實의 沈默, 沈默을 통한 明淨한 眞實의 追求, 그리고 말없는 가운데의 內密스런 實踐을 하나님께서는 오히려 더 원하시는 게 혹 아닐런지 …)

제65일 / 1990. 7. 3 (화)

윤형주 씨의 도움으로 그동안 꽤 많은 여러 종류의 성가, 찬양곡들을 들었다. 그런데 그 노랫말들의 기법적 구성요체를 분석해보면, 놀랍게도 전부가 하나같이 이미 하나님 존재의 확신상태를 전제로 하고, 오로지 그 確信者들만을 대상으로 한 One Way Communication Type 일색이다. 왜 그렇게 되었을까? 왜 그래야만 하는 것일까?

하나님의 존재와 사랑을 진정으로 더 필요로 하는 대다수의 不信者들은 왜 외면한 것일까? 不信者들을 Target으로 삼아 진정 은혜로운 聖歌, 진정 救援의 능력을 발휘하는 그런 讚揚을 ─ 기회가 주어진다면 ─ 나는 作詞하고 싶다. 보다 더 설득력 있고, 보다 더 현실적 효과를 거둘 수 있는 Two Way Communication의 메시지 구조 공식으로 !

제66일 / 1990. 7. 4. (수)

Two Way Communication용 찬양곡 노랫말 짓기를 위한 궁리 시작.

나는 지금 예수님 믿기 66일째에 이르면서도 주기도문을 아직도 외우지 못하고 있다. 내 사무실 전화번호도 자주 까먹는 나 …. 옛날 군대생활 할 때는 그렇게 매일처럼 기합을 받으면서도 국민교육헌장을 마지막 제대할 때까지 끝내 외우지 못했던 나 …. 집 식구들 생일을 하나도

기억하지 못하는 나…. 내 자동차 번호를 완전하게 기억하지 못하는
나…. 거래선의 전화번호를 그 어느 것도 기억하지 못하는 나…. 어릴
적에도 태정태세문단세 이후를 전혀 외우지 못했던 나는 역시 石頭!
뭔가를 외우는 일, 뭔가를 메모하고 기록하는 일, 그리고 어딘가에
소속되어 묶인 채 움직이는 것은 정말 싫다. 꼴 보아하니 아직 신자
되려면 그야말로 요원, 요원하다.
"하늘에 계신 아버지여 … 그 이름을 거룩하게 하옵시고 …" 이후는
맨날맨날 까먹는다. 언제쯤이나 남들처럼 주기도문을 유창하게 외우게
될까 …. 그냥 그 기도문의 뜻만 마음 속으로 생각하는 것으로는 기도가
완성되지 않는 것일까?

제 67 일 / 1990. 7. 5. (목)

리더스다이제스트사에서 출판한 신구약 합본 「R. D. BIBLE」 구입.
비교적 알기 쉽게 해설된 성서로서 나와 같은 초심자가 성경의 역사,
줄거리, 말씀, 뜻 등을 이해하는 데 도움을 줄 듯하다.

그런데 마태복음이 '마태오 복음서'로 되어있고, 마가복음이 '마르코의
복음서'로 되어있는가 하면, 또 고린도전서는 '고린토인들에게 보낸
첫째 편지'로 되어있다. 아무튼 도전해보자.

읽어야 할 것도 많고, 써야 할 것도 많고, 할 일도 많은데 … 하루
15시간씩 연중무휴로 일을 해도 아, 나는 항상 시간이 모자라는구나,
금쪽 같은 시간, 시간! 하나님, 어떻게 하면 시간을 좀더 확보할 수
있겠나이까?

제 68 일 / 1990. 7. 6.(금)

오늘 저녁은 定例 酒요일, 그러나 약속 피하고, 대신 朴榮漢 씨와 고려원
주간으로 있는 소설가 이윤기 씨를 만남. 그런데 결과적으로는 이 착한
사람들을 만나자마자 금세 기분이 좋아져서 성질 급한 내가 먼저 한 잔
할 것을 제안해버림. 내가 저녁을 겸한 일차를 내자, 이윤기 씨가
답례로 소주 한 잔을 더 샀고, 이에 질세라 박영한 씨가 맥주를 또 한 잔
냄. 갈 데 없이 대리운전. (그러나 오늘 만난 이 사람들은 건전하고
지성적인 사람들이라 交友에 안심이 됨)

좋은 친구들과 좋은 술을 마시고 집에 오니 기분이 계속 좋은지라 밤비
오는 베란다 유리창을 열고 명성교회의 쌍십자가를 향해 醉中名唱으로
내가 즐기는 18번을 한 곡조 뽑음.
"~예~수 사랑해요~나 주 앞에 엎드려~경배와 찬양~왕께
드리네~알렐루야~알렐루야~알렐루야~알렐~루~".

제 69 일 / 1990. 7. 7.(토)

하 목사님이 주신 책「경배와 찬양」을 펴놓고 기존 찬양곡들의
가사내용이 지닌 One Way Communication의 문제점들을 분석하기
시작함.

예수님을 믿지 않는 이들에게도 곧장 "이것이 바로 내 얘기이고, 내
감정인데 바로 그 끝에 하나님의 사랑과 구원이 계셨구나"하는 생각에
이르게 할 수 있는, 그런 노랫말들을 꼭 만들기로 다시 한 번 다짐함.

메시지 交感의 Two Way방법론과 시튜에이션의 입체구성 기법이
반드시 필요할 것으로 판단!

광고아카데미의 제자인 이나나 양과 김영미 양이 쥬스를 사들고 인사차
사무실을 방문했기에 傳道性 발언 무식하게 한 마디.
"그대들, 나를 자주 보고 싶걸랑 주일 아침마다 9시에 성경책 들고
동부이촌동 온누리교회 현관으로 찾아오게!"

제 70 일 / 1990. 7. 8.(일)
얼치기 전도 성공 전망. 어제의 '명령'대로 이나나 양과 김영미 양이
09:00 정각, 교회 현관에 나타남. 함께 예배드린 후 일행들과 신동아
Coffee Time 및 짜장면 중식. 다음 주일에도 꼭 예배에 나오도록
내 스타일로 다시 강압.

더워서 진땀 뻘뻘 흘리시는 하 목사님 설교; '예수님의 제자가 될 수
있는 자격'(세속의 인간으로서 무지무지 어려운 …)

근일 중으로 두란노 서적들 광고계획 회의 갖자는 하 목사님 분부.

윤형주 집사가 범 교회 '가수 선교회' 회장으로 선임되었다고.
귀여운 뚱보 박종호 성가사와의 찬양 비디오 계획도 포함, 내가
주장해온 Two Way Comm. 형식의 찬양곡 작사 문제 본격 협의 始動.

오후, 사무실에 나와서「경배와 찬양」가사에 대해 잠시 연구.

제 71 일 / 1990. 7. 9.(월)
"온누리교회에 다니려면 성경을 배우라, 아니면 가르치라"고 한
하 목사님의 말씀을 실천할 엄두가 아직도 나지 않는다. 뭔가 내 마음
속에 아직도 풀리지 않은 세속의 추한 매듭이 있다는 것일까?

리더스다이제스트에서 나온 「성경이야기」를 먼저 읽으면서 어느 정도
개괄적인 줄거리를 파악한 다음에 본격적으로 성경공부를 시작해야
효과적일 것이라는 게 지금의 내 생각이자 계획.

그러나 그것은 교육받기를 미루고 싶다는 변명일지도 …
아, 나의 이 못말릴 불성실하고 교만한 피교육 알레르기를 어쩔꼬?
일테면 목사님의 설교 한 마디도 놓치지 않으려고 꼼꼼히 메모하고 또
메모하고 그러고도 모자라 잣대로 빨강색 줄까지 긋는 윤형주 씨와는
너무나도 대조적인 불성실한 덜렁이가 바로 나!
(윤 집사, 국민학생용 투명플라스틱 잣대를 어디다 잃어버렸는지
요새는 잣대 대신 지갑 속에서 크리딧카드를 꺼내어 주보에다 줄을
긋는다. 생각만 해도 아이구, 배꼽이야!)

중앙일보 문화센터 카피교실 대학생 방학특강 개강.
간접적인 전도 일석.

제 72 일 / 1990. 7. 10.(화)
10평짜리 미니교회.
목사님도 없다. 장로님도 없다. 집사님도 없다.
십자가도 없다. 강단도 없다. 기도소리도 없다. 성가대도 없다.
신도만 단 1명 뿐.

아무것도 없는 이유는 그곳이 바로 나 혼자 일하는 사무실이기
때문이고, 신도 1명이란 바로 나다. 중얼중얼 기도도 할 줄 모르고,
찬송가도 부를 줄 모르니 맹꽁이 신도.

그러나 온종일 하나님의 섭리 생각, 예수님의 무한한 사랑을 사모하는

생각뿐이다. 특히 오늘 같은 날은 웬일로(!) 사단도 마음 언저리에
얼씬거리지 않는다. 그러니까 오늘은 내 사무실이 聖殿 그 자체나
마찬가지 아니고 달리 무엇이랴. 괜히 기분이 좋다. 일도 즐겁다.
마음엔 평화와 감사만 가득!
행동으로는 아무것도 할 줄 모르는 이런 맹꽁이 신도.
그러나 맹꽁이도 느낌 하나는 늘 있어서 혼자서 속으로 웅얼거린다.
"예수님, 사랑해요!"

제 73 일 / 1990. 7. 11. (수)

곽규석 목사님의 특별 전도예배가 있다는 윤형주 집사의 연락에 따라
모처럼 수요예배 참석.
예배 전에 윤형주 씨의 솔로 특송 일석.

코미디언 출신 곽 목사님은 해학가이자 철학자다.
간증설교 형식의 그 말씀들이 전부 재미있어서 배꼽들을 잡는다.
그래서 그 말씀의 은혜들은 저마다의 배꼽을 통해 각기 스며드는
듯하다. 뱃속으로, 핏줄 속으로 하나하나 스며드는 것이 느껴진다.
오늘 저녁 예배에 참석하길 참 잘했다.

하 목사님께서 또 하기수련회에 대한 안내말씀을 하신다. 그러나 나는
7, 8월 꼬박 중앙일보 문화센터 대학생 방학특강이 걸려 있어서 참가가
불가능이다. 이를 어쩌나 ….

내일 저녁엔 하 목사님을 만나 두란노서원 영업 활성화 전략에 대한
종합계획 브리핑을 해야 되는 날이다. 그런데 준비가 아직 미흡하다.
밤을 새야 되나, 말아야 되나 ….

제 74 일 / 1990. 7. 12.(목)

만사 제쳐놓고 8시에 출근하여 조간 신문 볼 시간도 없이 「두란노서원
營業活性化方案」 최종 정리작업 몰두.
그러나 어제 약속한 14:00시 한국화장품과의 미팅계획 걱정 때문에
절대시간이 모자라 초조한 참인데 전화벨이 울린다. 미팅계획이
다음날로 연기되었단다. 또 하나의 조그만, 그러나 전혀 예기치 않았던
확실한 기적이 아니고 무엇이랴.

18:00 정각에 가까스로 작업완료해서 온누리교회로 출발.
당회장실에서 하 목사님, 윤형주 씨, 그리고 두란노 편집책임 맡으신
방 목사님 일행과 「계획안」 공개 토의

하 목사님이 우리 일행에게 좋은 말씀들과 함께 저녁식사를 내심.

「빛과 소금」誌에 초보신자 대상 신앙생활 원고 매월 14매씩 연재하기로.

귀가길, 기분 좋음. 평생 스크루지처럼 모질게 살아오다가 난생 처음
내 분야의 전문기능으로 〈두란노〉의 좋은 사업을 위해 무보수 노력
봉사를 해본 셈이니까.

오늘도 하나님 덕분에 熟眠!

제 75 일 / 1990. 7. 13.(금)

온누리교회의 핵심을 이루고 있는 사목자들을 한 사람씩 더 만나고,
그리고 그분들의 정신세계나 생활태도 등을 조금씩 더 가까이서
관찰할수록 … 내심 기가 질린다. 놀라운 신앙심의 두께에 있어서는
물론이려니와 나와는 감히 그 인격적인 수양 정도의 격차를 비교할

수조차 없어 마치 딴 세상 사람처럼 느껴지는 것이다.

聖者的 차원의 완벽에 가까운 정신세계가 일개 俗人에 불과한 나의
그것과는 많이 다르리라는 것을 미리 각오하지 않은 바 아니었지만,
그러나 그분들의 信仰武裝 정도나 정신적인 純潔度는 실로 내 상상력의
한계를 초월한 高度에 위치해 있다. 처음엔 單純 尊敬心 비슷한
감정으로 접근했던 것인데 그 접근 결과는 놀라운, 까마득한 敬畏感으로
돌아오고 있는 기분이다.

예컨대 속세에서 '인간적이다'라는 개념은 인품에 대한 칭찬으로 쓰여
나 또한 좀 더 '인간적인' 사람이 되고자 한 평생 노력해온 셈인데
이분들의 세계에서 '인간적이다'라는 말은 '非그리스도적이다'로
통하는 듯하다. 이 엄청난 갭을 어찌 메꿔갈꼬?

자주 만나지 않으리라던 술친구 H와 오랜만에 회동.
그러나 달라진 내 시각기준에 그의 모습이 아름다워보이지 않는다.
밤비를 맞으며 돌아오는 길 내내 후회 !

제 76 일 / 1990. 7. 14.(토)

중앙일보문화센터 대학생 방학특강.
아침부터 4시간 동안이나 내내 서서 강의.
어제밤의 후유증도 겹쳐 피로가 극에 달함.
K와의 인간적인 관계 때문에 기분마저 우울.

주기도문을 읽으며 우울하고 어두운 마음을 달램.
내일 아침 주일예배에 가서 원기를 다시 회복해야지.

제 77 일 / 1990. 7. 15. (일)

하 목사님의 설교가 마치 지금의 내가 처한 경우를 두고 하시는 말씀
같다. 처음 예수를 믿으면 친구들로부터 조롱을 받는 경우도 있을
것이요, 외로워지는 경우도 있을 것이요, 여러 가지 손해를 보는 경우도
있을 것이요, 상처받는 경우도 있을 것이요….

그러나 '겉사람'을 포기하고 극복해야지만 '속사람'으로 다시 태어날 수
있다는 진리의 말씀.

윤형주 집사와 함께 '온누리 하계수련회 주제곡' 만들기로 약속.

지난 주에 내가 전도한 나나 양과 영미 양이 잊지 않고 교회에
나와주어서 반가움.

오후엔 모처럼 만에 아이들을 데리고 호암아트홀에서 「시네마 천국」
이라고 하는 이태리 영화 감상. 시골극장의 영사기사 영감님의 명연기가
인상적이며, Human Interest에 충실한 연출솜씨가 돋보인다.
서양사람들은 너나없이 하나님을 믿는 신앙생활에 투철하면서도
쾌활하고 분방한 '인간적인' 삶의 면모를 꾸밈없이 보인다. 그런데
우리나라 사람들은 많이 다르다. 안 믿는 사람들의 생활은 너무
질서없이 방자한 반면, 믿는 사람들의 생활은 또 성직자처럼 너무
경건하고 단조롭다. 왜 그런 차이가 느껴질까?

제 78 일 / 1990. 7. 16. (월)

어젯밤, 오늘 새벽, 연속 작업 끝에 초보신자의 '막 쪄낸 찐빵'의
열정으로 온누리 수련회 주제곡 작사 완료.
추후 부분수정 작정하고 우선 윤형주 씨에게 작곡 의뢰함.

우리 모두 손잡고

1) 주 하나님 지으신 햇빛 가득한 곳에
　　형제 자매 손잡고 주님 찬양 왔어요.
　　우리 이마에 맺힌 땀방울, 땀방울마다
　　귀하신 주님의 보혈 방울방울 보이네.
　　구원의 기쁨 나누는 영광
　　우리 모두 손잡고, 손잡고
　　그리스도 사랑 온누리 가득
　　온 ~ 누 ~ 리 ~ 가득 채우세.

2) 주 하나님 지으신 푸르른 산과 들에
　　형제 자매 손잡고 주님 찬양 왔어요.
　　작은 풀잎에 맺힌 이슬방울마다
　　귀하신 주님의 보혈 방울방울 빛나네.
　　구원의 은혜 나누는 영광
　　우리 모두 손잡고, 손잡고
　　그리스도 사랑 온누리 가득
　　온 ~ 누 ~ 리 가득 채우세.

제 79 일 / 1990. 7. 17. (화)
「빛과 소금」 원고 주제-1

하나님의 존재를 믿어 주 그리스도의 사랑을 받는다는 것은 일테면
그 의미에 있어서 …

흐물거리던 파충류가 어느날 등뼈를 얻음과 다르지 않다.
앞 못보던 소경이 홀연히 마음의 눈을 뜸과 다르지 않다.
밤바다의 난파선이 문득 항구의 등대불을 발견함과 다르지 않다.

길잃어 방황하던 고아가 마침내 제 부모를 만남과 다르지 않다.
독수공방의 외로운 홀아비가 어느날 제 배필을 찾음과 다르지 않다.
미완성의 자동차에 마침내 새로운 핸들, 새로운 엔진, 새로운
브레이크를 장착함과 다르지 않다 … 는 내용을 形象化할 필요.

이 결함투성이의 미물이 이제야 비로소 제 부족한 한계를 깨닫고 두손
활짝 높이 들어 마침내 주님 앞에 항복합니다. 깨끗이 항복합니다.
뜻하시는 대로 거두어 주소서.

제 80 일 / 1990. 7. 18.(수)

폭우가 쏟아지는 어젯밤, 세검정 옥외 보신탕집에서 박영한 씨와 한잔
했다. 나는 취하지 않을 요량으로 맥주만 한 잔 마셨는데, 소주 술상
놓고 건성으로 맥주잔만 앞에 놓고 있다는 것은 마주 앉은 친구에 대한
예의가 아니다.

박영한 씨는 종교를 갖고 있지 않다. 그러나 그 사는 모습이 신앙인
못지않게 착하고 자연스럽고 아름답다. 가장으로서의 모범적인
가정생활, 꾸밈이나 거짓을 모르는 진솔한 대인관계와 인생철학,
머리보다는 우선 몸으로 일하기를 즐기는 근면함. 그리고 소설가라는
직분인으로서의 명정한 사명감과 치열한 작가의식 등은 그야말로
모범적이고 인간적이다.

비록 교회와는 인연이 없다 하나, 그 이유만으로 이렇게 성실하고
정직한 사람을 탓해서는 안될 것이다.

이 세상에는 신앙인적 생활을 하면서도 인간의 질이 좋지 않은 사람이
있고, 또 반대로 특정한 신앙을 갖고 있지 않음에도 신앙인 이상으로

착한 사람들이 더러 있음을 나는 느끼고 있다.

그러나 ─ 그런 시각과는 관계없이 ─ 박영한 씨도 언젠가는 종교에 대한
생각을 한 번 해 볼 것을 권유하고 싶다. 신앙이란 적어도 善이니
正直이니 하는 '인간적인' 덕목 이상의, 영적 구원의 차원이라 믿기
때문이다.

제 81 일 / 1990. 7. 19. (목)

하나님을 믿기 시작하면 왜 평소 가까웠던 친구들이 멀어지는 것일까?
나는 신앙생활을 하기 훨씬 전에도 교회나 성당에 다니는 사람들에
대해서는 은근히 인간적인 신뢰와 호감을 갖고 있었었는데 ….

평소 가까웠던 친구들 … 그들의 눈치가 달라지고 있음을 느낀다.
조금씩조금씩 거리감을 두고 하나같이 나로부터 멀어지고 있는 것이다.
아니, 그런 변화는 내 내부에도 약간은 없지 않다. '하늘 무서운 줄
모르고' 기고만장하는 그 모양들이 어느날부턴지 아름답지 않게 보이기
시작한 것이다. 그러니 쌍방에 문제가 있다.

이 나이에 그렇다면, '친구 소사이어티'를 전부 새로 구성해야 한단
말인가? 아니면 세속의 인연들을 다 포기하고 애오라지 하나님만을
홀로 섬기며 非社會的인 동물로 외토리처럼 살아야 할 것인가?

제 82 일 / 1990. 7. 20. (금)

食기도 실천률, 이제 겨우 70%쯤 된다. 내 힘으로 번 밥이 아니라
하나님께서 그 사랑의 힘으로 벌게 해주신 밥인 것이다.

오늘 기쁜 날. 막내딸 고3생의 성적표가 班 1등, 전교 2등으로

올라섰고, 그리고 난데없이 최전방에서 아들녀석이 20일간의
정기휴가를 받아 나왔다. 연대장 당번생활로 얼굴이 허여멀끔해졌고,
눈치없던 녀석에게 눈치도 좀 생긴 것 같다. 만사 제쳐놓고 과일
한 보따리 사들고 정시 퇴근. 오랜만에 온 가족이 모여 외식. (식기도?
"Oh, yeh!")

오늘 오후, 두란노서원 편집장 방선기 목사님에게 「빛과소금」 연재
원고 1회분 발송. 초보신자의 부끄러움도 하나님께서 다 감싸 주시겠지.

흰 깃발로 하나님께 항복

딱이 제 잘난 맛에 산다는 뜻은 애초 아니었을지라도, 그러나
부인하기 어려운 뿔심대 하나가 마치 엉덩이의 뭣처럼 늘 목 뒤에 굳게
박혀 있었음을 먼저 전제해야겠다. 남들의 눈에 좋게 보였기를
바라기에는 당연히 무리가 따르겠으나 세상의 일상적인 눈에는
그런대로 '인간적인' 일면이 전혀 없지야 않았을 터라고 애써 자위할
수는 있겠다. 우여곡절을 거친 끝에 이제 가까스로 어느 계기의 터널
하나를 지나고 나서 돌아보니 차마 쑥스러운 반생의 자화상이 아닐 수
없다. 먼 얘기지만, 기인은 유년의 6·25 아수라장으로부터 비롯되었다.
실로 어처구니 없이 내게 강요된 불공평한 운명을 그냥 곱단히
수용하기에는 '인간적으로' 너무나도 억울했고, 또 그런 극한적인
열악의 환경 속에서 짓밟혀 죽지 않으려고 이를 악물고 바둥거리기만 한
성장 과정을 통해 내 인간의 격은 많이도 비뚤어졌다. 정신분석을
하자면 갈 데 없는 반항심일 테고, 상투포장을 하자면 '어떻게 살아온
난데-'하는 자존심의 뿔심대랄 수 있었으리라. 부디 상상하기 바란다.
무릇 모든 물이 위에서 아래로 흐르는 진리와 마찬가지로 어느 경우에도
결코 한 치의 틀림이 없으신 하나님의 정교무비한 섭리를 외면한 채
그렇게도 비뚤게만 살아온 반편 인생의 악다구니 행로가 어찌
순탄했기를 바라리요. 이미 예비된 말로 추슬러 정리하건대 그것은 다만
우왕좌왕이었고, 갈 데 없는 좌충우돌이었으며, 동시에 그것은 수렁이
수렁을 파는 나락으로의 침잠에 다름이 아니었던 것이다. 당연히, 나이

먹어 철이 들면서부터 슬슬 괴롭기 시작했다. 적어도 그것은 내가
선택한 사회적인 직능이나 현실적인 생업의 문제 따위와는 전혀 별개인
형체없는 괴로움이었기에 더욱 좌불안석이었다. 어쩌면 그것은
지천명을 눈 앞에 둔 사람에게 능히 있을 법한 반생의 결산 본능과 그로
인한 허탈감일지도 모르는 일이었다. 마침내 어렵사리 결심을 한
어느날의 기억을 나는 잊을 수가 없다. 은근히 속으로만 오래 망설이던
일, 뭔가 앞 뒤 이빨이 맞지 않아 꼬이는 일이 생길듯만 싶어 망설이고
또 망설이던 일을 마침내 결행했던 것이다. 어인 일로 때맞춰 내게
다가와 준 고마운 이들의 인도에 따라 마음을 어렵사리 비우고,
그리고는 아직 친근하지 않아 낯설기만 한 하나님 앞에 조그만 항복의
흰 깃발을 만들어 들고 쭈볏거리며 나아갔다. 1990년 4월 29일의 빛나는
주일 아침이 바로 그 첫날이다. 하나님의 성전에서 내가 받은 그 느낌은
일차적으로 평온, 마음의 평온이었다. 그리고 굳게 닫힌 빗장을 풀어
온몸을 열어제끼고 바라본 그곳에 누구도 꼼짝못할 '사랑'이 있었음을
감히 증거하고 싶다. 이미 오래 전부터 탕아의 귀가를 기다려 오신
주님의 잔잔한 미소가 마치 전률의 혈액인 양 내 온몸을 감싸고 한없이
흘러내림을 느꼈다. 게다가 목사님의 목화송이처럼 순하디 순한 표정과
가식없는 말씨에 내 불안정한 정서 감응의 스트링은 어느덧 조율당하고
있었다. 조율사의 등 뒤에 또 누군가 한 분이 분명히 계시는 듯한 느낌을
나는 받았다. 그러지 않고서야 나이 먹은 인간이 어쩌면 저렇듯
목화송이 같을 수가 있나. 그분은 누굴까? 그야 아무튼, 느끼기에
따라 … 어찌 보면 그것은 한 고귀하신 분이 흠허물 하나 없는 허허로운
표정으로 내게 보내 주시는 윙크이기도 하였고, 느끼기에 따라 그것은
더없이 친숙한 어떤 손길의 따스함이기도 하였다. 목사님의 설교, 그
말씀의 구체적인 어휘는 오히려 중요한 게 아니었다. 말로 이루 형언할
수 없는 '느낌'의 무엇 때문에 내 몸은 마치 버터처럼 흐물흐물
녹아내리는 듯하였다. 하드펀쳐일수록 반드시 한 번씩 겪는다고 하는
녹다운의 혼미가 혹 이런 게 아닐 지도 싶었다. 내게는 그야말로

난생처음 겪는 경이었다. 전 같으면, "이거야 말로 우습지 않나, 이래 뵈도 내가 누군데 …"라고나 해야 할 국면이었다. 그날 온종일을 나는 줄 끊긴 풍선처럼 어쩔어쩔 붕붕 떠서 새로운 세상을 내려다 보며 하루를 보냈다. 그리고 많이, 많이도 생각했다. 세상 사람들은 믿지 않겠지만, 그날로부터 나는 또 하나의 새로운 주일 아침이 은근짜한 설레임으로 기다려지기 시작했고, 동시에 그날 밤부터 오랜 고질이던 불면증이 거짓말처럼 씻은 듯이 사라졌던 것이다. 나를 아는 누가 나의 이런 사실을 믿을 것인가. 그러나 얼마 후 나의 이 얘기를 들은 신앙선배 한 분이 말했다. "하하하 … 막 쪄낸 찐빵이구료. 바로 그때가 제일 따끈따끈 맛있는 법이죠." 선배의 말이 가슴에 와 닿았다. 나는 마침내 막 쪄낸 찐빵으로 새로 태어난 것이다. 쯧쯧, 교회 몇 번 나간 죄로 이 나이에 찐빵이라 …. 어쩐지 찐빵은 카스테라보다 약간 품위가 떨어지는 듯 싶기도 했지만, 그 사실조차 나는 즐겁다. 무한히 즐겁다. 어쩐지 연세가 많아 치아가 신통치 않을 듯싶은 하나님 드시기에 따끈따근 부드러운 찐빵이라면, 그렇다. 카스테라가 아니면 어떻고, 불란서 케익이 아니면 어떠랴 싶은 것이다. 그래도 찐빵은 국화빵보단 그 푼수가 넉넉하지 않던가. 마음에 여유가 생겼다.

비로소 내게도 믿거라 하는 구석이 생긴 것이다. 주님의 사랑보다 더 큰 빽이 세상천지 어디에 있을 것인가. 그 많고 많던 세상 걱정은 다 어디로 가버렸는가. 차마 수줍은 흰 깃발 들어 하나님 앞에 그렇게 항복해 버리기를 참 잘했다. 그래서 나는 이 지면을 빌어 계속 그 '찐빵'의 신기한 얘기들을 하나씩 증거해 나갈 것이다. 필시 나보다 더 따끈거리고, 나보다 열 배는 더 맛있는 미지의 귀한 찐빵 후보생들을 위해 ….

제 83 일 / 1990. 7. 21.(토)

10:00부터 15:00까지 중앙일보문화센터 대학생 방학특강 치름. 피로가 극도에 달함. 이 피로감도 윤형주 씨 투의 표현대로라면 혹 '기도가 부족한 탓'이 아닐지 ….

영화狂인 아들녀석과 함께 4시간짜리 비디오 테이프 빌려다가 밤 늦게까지 재미있게 감상. 국내에서 2시간짜리로 축소해서 상영된 바 있는「Once Upon a Time in America」

내일 아침에는 아들녀석 데리고 온누리교회 주일아침 예배 참석하기로 약속.

제 84 일 / 1990. 7. 22.(일)

하 목사님이 휴가 중이라 다른 목사님이 대신 설교. 교수님 강의 스타일의 설교. 설교시간 내내 꾸벅꾸벅 졸음.
하 목사님의 얼굴을 볼 수 없어 뭔가 빠진 듯이 허전 섭섭.

오늘도 예배 후 사무실로 직행해서 혼자 작업.
안식일을 쉬지 못하는 스스로의 안타까움. 텅빈 빌딩에 나 혼자 출근해서 내내 타이프라이터 두들김. 일하면서 내내 머리 속은 하나님의 보살펴 주심에 대한 생각으로 충만. 하나님 생각을 하기만 하면 언제라도 외롭지 않음을 느끼고 또 느낌. 내 아이들 학교 뒷바라지를 다 마칠 때까지는 어차피 혼자서 이렇게 연중무휴의 극한투쟁을 계속하지 않을 수가 없는 형편.

제 85 일 / 1990. 7. 23. (월)

마음 속에 하나님이 늘 계시다는 것은 얼마나 든든한 일인가.

말을 아니할 뿐, 모든 것을 다 알고 계시는 분 —

아무의 눈에도 띄지 않으면서 사실은 모든 일을 다 주관하시는 분 —

성품이 너무 너그러워서 가끔씩 둔하고 무능한 양반으로 오해도 받는
분 —

그러나 '우연'이라는 익명을 사용하시면서 엄할 때는 칼같이 무서우신
분 —

한평생 하나님을 부정하는 유물론자로 불행하게 사시다가 돌아가신
불쌍한 아버님 생각을 하면 기분이 우울하다. 이미 이 세상에 없는 분의
영혼을 위해서도 내가 기도를 하면 천국에서 구원을 받으실 수 있는
것인지 ? 하 목사님한테 물어 봐야지.

그러나 아버님 돌아가신 직후 곧장 기독교에 귀의하여 지금 집사가 되신
어머님이 기도하고 계시겠지.

제 86 일 / 1990. 7. 24. (화)

똑순이 탤런트 김희애 양, 이정원 양과 함께 사무실로 내방. 5년 만에
본다. 중대 대학원 수석입학해서 지금 3학기차란다. 온몸에서 똑소리가
나는 DDR재원이다. 만일 요런 며느리를 얻는다면 ? 문득 장난끼가
들어, 마침 휴가나와 있는 아들녀석 애기를 꺼냈다. 눈치를 보니 관심이
없지 않다. 그런데 아들녀석보다 나이가 한 살 많은 67년생이다. 게다가
종교가 없단다. 그야 전도를 하면 되겠지. 우리집 전화번호를 적어
주었다. 똑똑한 여자 아이만 만나면 며느리감 생각 먼저 하는 것을 보면
나도 이제 늙은 모양이다. 가급적이면 신앙을 가진 참한 며느리를 얻는
게 좋겠지.

열심 모범생 윤형주 씨가 '하계 수련회 주제곡' 작곡 시안 보내옴.
후렴부분 가사 일부 수정.

「빛과 소금」연재원고 '막 쪄낸 찐빵' 보충분 작성해서 발송.

제 87 일 / 1990. 7. 25. (수)

늦은 퇴근길, 기독교방송에서 흘러 나오는 뇌성마비 신자의 눈물겨운
간증 때문에 내내 運轉 視野 가려져 앞이 안 보임.
외롭고 불쌍한 그 영혼을 그토록 훌륭하게 구원해주신 하나님의 사랑과
능력에 감사.

차 속에서 가끔씩 주기도문을 외우고 싶을 때가 있는데 … 내 머리는
아직도 그것을 외우지 못한다. 創作하라면 무엇이든지 해낼 수가
있겠는데, 외우는 것이라면 그냥 바보 천치와 같은 내 소프트웨어 !

그냥 마음 속 하나님 생각만 갖고는 기도기능이 발휘되지 못하는
것일까? 일테면 나는 말하지 못하는 농아자들의 경우와 같은데 ….

제 88 일 / 1990. 7. 26. (목)

윤형주 씨, 수련회 주제곡 녹음 완성해서 전화로 들려줌.

필경 과로 ! 오후 내내 눈 앞이 어지럽다.
하루 평균 13시간 이상씩 타자기 앞에서 일을 한다.
금년 들어 단 하루도 놀아보지는 못했다. 스스로 개인 사무실의
주인이면서 나는 아무래도 일을 너무 많이 하는 것 같다.

단 하루라도 한 번 가면 다시 오지 않을 멀쩡한 귀한 시간에, 일하지 않고 그냥 노는 것을 죄악시, 부도덕시하는 내 고정관념에 문제가 있지 않을까?

나는 이 나이 먹도록 당구장엘 한 번 가 본 적이 없다. 낚시를 한 번 가 본 적이 없다. 바둑이나 장기를 둘 줄 모른다. 볼링장엘 가 본 적이 없다. 술을 좋아하지만 퇴폐적인 유흥장은 내 자존심과 경제도덕이 결단코 용납을 하지 않는다. '지금껏 어떻게 살아온 난데, 그런 허접스런 오락판이나 유흥판에 내 시간과 돈을 바쳐?' 하는 생각이 늘 나를 결정적으로 지배하고 있기 때문이다.

"자, 그러하오니, 하나님, 나이 낼모래 지천명을 바라보는데도 아직껏 오락과 휴식의 여유를 모르는 이 답답한 인간은 어찌하오리까? 소생의 유일한 도락이자 취미는 자동차 운전여행입니다. 그런데 그것도 마음 속 간절한 희망사항일 뿐, 실천하기는 결코 쉽지 않습니다요! 시간을 많이 뺏기거든요. 하나님, 소생이 혹 코미디안 같습니까요?"

제 89 일 / 1990. 7. 27.(금)
어스름 초저녁 앰배서더 호텔 앞, 정상주행 중 전혀 의외의 곳에서 갑자기 차선을 무시하고 튀어 나온 웬 오토바이가 바로 내 차의 정면에서 스턴트맨처럼 제풀에 쓰러진다. 앗, 사고! 깜짝 놀라 본능적으로 급브레이크를 힘껏 밟으면서 끼익 ~~ 미끌리는 순간, 입에서는 나도 몰래 발악하듯 욕설이 고래고래 튀어 나온다. 씨근덕거리면서 내려 보니 내 차의 制動点과 불과 1~2미터도 안되는 땅바닥에 술에 취한 녀석이 오토바이와 함께 쓰러졌다가 비틀비틀 일어나면서 게슴츠레 씨익 웃고 있다. 오랜만에 소시적 솜씨를 한 번 보여줘? 하고 구두축에 슬쩍 힘을 넣는데 문득… 어느 한 분의 생각이

불현듯 떠올라서 내 가랑이를 붙잡는다. 어휴, 참는 자는 복이
있나니랬나 뭐랬나!

퇴근길 내내 '修養不足'을 입 속으로 반추하면서 歸家.
그런 위급상황에서도 욕 대신 본능적으로 '할렐루야'를 부를 수 있게
되려면 얼마나 信仰修養을 많이 해야 할까?

잠들기 전에 입 속 기도. "오늘 초저녁, 불의의 사고를 아슬아슬 막아
주셔서 하나님 감사합니다."

제 90 일 / 1990. 7. 28. (토)
물질만능의 즉물주의가 인류계를 지배하는 이 각박한 시대에 만일
종교라고 하는 정화, 습윤장치마저 없었다면 어떻게 되었을까 하는
사회과학적인 시각과 관심을 나는 이전에 가끔씩 가져보곤 했었다.

그러나 하나님의 존재와 절대 권능을 믿기 시작한 지금의 나는 그분의
섭리를 '종교'라는 단순 표현, 또는 그런 한정적인 규정의 의미로
생각할 수가 없다.

하나님은 우리 사회를 구성하는 여러 요소들 중 '종교'라고 하는 한
특정분야를 맡고 있는 사단장이나 군단장이 아니라 이 세상의 온 나라,
온 민족, 온 우주를 다 총괄하시는 '왕 중 왕', 그 절대의 永遠
君主이시기 때문이다.
그러므로 '종교', 또는 '종교분야'라는 말은 옳은 단어가 아니다.

따라서 정부의 무슨 행사가 있을 때마다 3부요인을 비롯 그 허접스런
정치가들과 같은 반열에서 '종교계 각 종파 대표'들이 약방의 감초처럼

끼어 하나의 구색으로 등장하곤 하는 관행은 재고되어야 옳을 것이다.

제 91 일 / 1990. 7. 29.(일)

아들녀석과 함께 처음으로 주일예배 참석.
기분 흐뭇.
그러나 도통 말수가 적은 이 무덤덤한 녀석의 심중에 교회가 어떤
모습으로 비쳐지고 있을지 못내 궁금.

이 녀석은 그 어떤 말을 물어도 제 소견을 딱 부러지게 표현하는 법이
없다. 황소처럼 싱겁게 그냥 시익 웃고 말 뿐.

예배중 전혀 예기치 않은 돌발사태 발생.
하 목사님께서 갑자기 '하계 수련회 주제가' 작곡, 작사자를 호명하면서
일어나라신다. 윤형주 씨와 나는 완전히 뒷통수를 한 방 맞은 죄인모양
얼결에 일어서서 예배당에 가득 모인 신도들의 박수를 받음.
윤 집사는 그렇다고 치고, 나는 초보신자 주제에 … 이래도 되는 것일까
불안!

그러니까 일테면 '막 쪄낸 찐빵'의 화려한 데뷔인 셈?
자중자애, 몸조심하자. 뒷총 맞을라!

제 92 일 / 1990. 7. 30.(월)

덥다. 이건 완전히 찜통이다.
땀이 줄줄 흐른다. 머리마저 몽롱해질 지경이다.
남들은 휴가들을 떠나 서울 거리가 한산한 지경인데, 나는 휴가갈
생각은 꿈도 꾸지 못하고 땀만 줄줄 흘리며 타자기 앞에 매달려 있어야

한다.

그러나 감사하자. 내게 무언가 할 일 주심에 대해 감사.
그 일 즐겁게 하도록 마음의 여유 주심에 대해 감사.
남들은 돈주고 일부러 땀 흘리러 싸다니기도 하는데 나는 가만히 앉아
있어도 땀이 줄줄 흐르니, 건강한 몸으로 땀 흘릴 수 있음에 대해 또
감사.

막내딸 금년에 대학 붙고, 그리고 아들녀석 제대한 후, 그러니까
내년쯤이면 나도 소위 그 휴가라는 것 한 번 가 볼 수 있을 것이다.

팔자 좋게 타고난 윤형주 씨는 어제 오후 가족과 함께 하와이로 휴가를
떠났다. 좋겠다, 정말!

제 93 일 / 1990. 7. 31.(화)

식기도 실천율 거의 99%.
우리 아이들에게도 식사 전에 잊지 말고 식기도 이행토록 엄명.

술 먹어본 지 근 보름이나 된다.
마음이 허전하지 않으니까 술을 마실 필요가 없기 때문이기도 하고,
그리고 스스로 술친구들을 가급적 만나지 않기 때문이다.
그런데 요놈의 담배는 … 아직 어쩌지 못한 숙제로 그냥 내내 달고
다닌다. 그래서 주일날 교회에서 옆자리의 다른 이들에게 약간
미안하다. 듣기로 교인들의 코는 고성능이라는데 그 고성능 코들이 내
몸에 배인 담배냄새를 못맡을 리 없기 때문이다.

그러나 나는 담배가 없으면 원고를 단 한 장도 쓸 수가 없으니,

이 노릇을 어쩌랴. 아직 믿음이 턱도 없이 부족한 탓이리라.

제 94 일 / 1990. 8. 1. (수)

어떤 부류의 방자한 인간들은 '좋게 대하려고 노력하는 사람'을 '제
수중에 들어온 사람'이란 판단하고 제 개인의 이익을 위해 이용하려
한다. 알면서 한두 번은 져준다 하더라도 내내 져주면서 이용당해야
하는 것인지—에 대해 자문을 구하기 위한 기도.

또 어떤 부류의 사람들은 '져주려고 노력하는 사람'을 그 일면만을 보고
은근히 '하나님 믿기 시작하더니 패기도 줏대도 없이 나약해진 사람'
취급을 한다. 이런 모든 것들이 성경에서 말하는 시험인지도 모르겠다.

동시에 또 어떤 사람은 '한 남자로서 지속적인 상향 발전적 의지와
노력을 그만 포기하고 旣得한 현실에 대충 만족, 安住하기 위해 종교에
귀의한 李 某'라는 견해를 간접 시사하기도 한다.

그런 저런 당치 않은 몰이해의 사연들 때문에 주변에 있어온 세속의
不信者들이 점점 부담스러워지고 있다. 내 눈에 아름다워보이지 않는 그
사람들 … 인간관계는 서로 거울이라는데, 마찬가지로 그들 눈에도 내가
아름다워보이지 않을 것이다. 혼자서 속으로 오랜 기도.

제 95 일 / 1990. 8. 2. (목)

S영화사에서 '영화 제작착수 성공기원 예배(?)'가 있다는 L감독 전화.
평소 욕 잘하는 K사장이 사실은 기독교 권사님이란다. 뭔가 기분이
찜찜했지만, 마침 거리가 가까운 곳이어서 의리상 거절하지 못하고
어슬렁어슬렁 가보니 정말로 그곳에 제작진, 출연진과 함께 처음 보는

어느 교회 목사님 한 분이 와 계신다. 떡, 돼지고기, 과일 등이 차려져 있는 탁자 한 가운데 영화 대본이 놓여져 있다. 그 영화 대본을 나는 읽은 적이 있다. 내용은 정치와 섹스 스캔들에 관한 것이다. 물론 목사님은 그 대본을 읽어보지 않았을 것이지만, 아무튼 내게는 난생 처음 겪는 이상한 예배 경험이다. 이윽고 예배가 끝나고 목사님이 먼저 돌아가시자 K사장의 지시로 곧 막걸리 주전자가 들어와 술판이 벌어진다. 그 술판은 근처의 일식집으로까지 연장된다. 그리고 그 다음 코스는 하얏트호텔 무슨 술집이라는 바람에 나는 얼른 일행과 작별하고 무더운 여름 밤거리를 찜찜한 기분으로 혼자서 歸家. 집에 돌아와서도 기분은 내내 찜찜.

제 96 일 / 1990. 8. 3. (금)

중얼중얼 입기도를 할 줄 모르니까 나는 맨날 혼자서 눈을 감고 머리 속으로만 기도를 한다. 하나님은 나를 아마 聾啞者로 아실지 모르겠다. 그것이 걱정되어 나는 매일 밤 열한 시 반, 거실로부터 내 방에 들어와 잠자기 전에 찬송가 책을 뒤적여 멋지게 한 곡을 골라 뽑는 것이다. 어느날은 찬송가 대신 「경배와 찬양」을 뒤적거리기도 한다. 이 세상에 소리내어 찬송하는 벙어리는 없을 테니까.

그러나 역시 하나님 보시기에 이상하긴 하실 것이다. "어이하여 저 인간은 노래할 때만 입소리를 낼 줄 아는고?"

입기도가 술술 나오도록 프로그램된 디스켓을 한 장 사서 내 골통 속에 쏙 집어 넣고, '실행'키를 턱 눌렀으면 좋으련만….

제 97 일 / 1990. 8. 4. (토)

요새는 식사 전, 아이들에게 반드시 강제로 식기도를 시킨다.
아비가 시키니까 할 수 없이 아이들은 눈을 잠시 감고 있다.
눈을 감고 요녀석들이 무슨 생각을 하는지는 알 도리가 없다.
그러나 나는 그런 식으로나마 꾸준히 식기도를 시킬 것이다.
애들이 좀더 어렸을 적부터 매달 리더스다이제스트를 강제로 읽히곤
했듯이.

리더스다이제스트가 성경만큼은 완벽하지 않지만, 그러나 성경처럼
딱딱하지 않고 마냥 재미있기 때문에 아이들한테 쉽게 먹혀 들어간다.
동시에 그 안에는 미국인들의 건강한 청교도정신이 생생하게 살아 있고,
그리고 하늘의 섭리에 대한 경외가 들어 있으며, 기본적인 권선징악의
원리로 꾸며져 있다. 그러니까 그 잡지는 聖經의 사돈네 팔촌쯤 된다고
볼 수 있지 않을까? 내가 아이들의 건강한 인격형성을 위해 지금껏
취해온 노력은 고작 리더스다이제스트를 매달 읽히는 일뿐이었다. 어릴
적부터 신앙생활을 시켜온 훌륭한 부모들에 비교하면 심히 부족하고 …
이제 와서 생각할 때 약간 부끄럽기도 하고 ….

제 98 일 / 1990. 8. 5. (일)

주일예배 참석.
하와이 휴가로부터 돌아온 윤형주 집사, 약간 그을렀다. 그의
사내아이는 많이, 많이 그을렀다. 마치 하와이의 폴리네시안 원주민
소년이다.

영국인 목사님의 설교.
두란노서원의 성서 보급활동에 대한 의의 피력에 공감.

그러나 역시 설교감각이나 사물에 대한 시각이 한국적이 아니어서 외국인 목사님들의 설교는 매번 숟가락으로 洋食을 먹는 느낌이다.

역시 주일 아침예배는 하목사님의 설교가 있어야 예배를 제대로 드린 느낌이 든다.

오늘도 나는 주일 안식을 취하지 못하고 예배가 끝나기 무섭게 사무실로 혼자 출근하여 오후 내내 타자기와 씨름을 한다. 이 큰 빌딩에 출근한 사람은 나 혼자 뿐이다. 에어컨도 나오지 않으니까 '훈풍기'를 틀어놓고, 웃통을 홀랑 벗고 땀만 뻘뻘 흘린다. 나는 역시 놀거나 쉴 줄을 모르는 스크루지 체질인 모양이다.

제 99 일 / 1990. 8. 6.(월)
내가 좋아하는 18번 성경구절은 「고린도전서 13장」.
내가 좋아하는 18번 찬송가는 「내 주의 보혈은」.
내가 좋아하는 18번 경배와 찬양은 「예수 사랑해요」.

나는 기도를 할 줄 모르니까 저녁마다 18번 한 가지씩을 골라서 읽거나 노래 부른 후에 잠자리에 든다. 숙면의 비결.

내 20년 후의 계획 하나.
딱딱한 신약을 내 방식으로 완전히 산산조각 分解해서 한 권의 우화적 장편소설로 재조립하는 일.

소설제목은 「인간 禮修 − 탄생에서 부활까지」
시대배경은 현대.

하나님께서 점지하신 인간의 본디 모습을 禮修라고 하는 주인공 남자를
통해 현실적으로 제시하는 게 목적.

제 100 일 / 1990. 8. 7.(화)

100일.
100일째라는 것을 일에 쫓겨 나도 잊고 있었는데, 내 신앙 매니저인
윤형주 씨가 기억하고 있다가 전화로 일러준다. 지난 4월, 우리가 처음
신앙의 문제를 얘기 나눴던 영동의 〈오죽헌〉에서 '100일 기념 저녁'
사겠다고.
실로 놀라운 信心, 놀라운 頭腦, 놀라운 友情이다.

그러니까 나는
기껏 '예수님 사랑해요' 한 마디밖에 할 줄 모르는
100일짜리 '찐빵 Sample'.

그러나 지난 100일 동안, 내 의식의 변화에 대해 생각하면 스스로
생각해도 믿어지지 않는다. 기독교방송에서 흔히 들을 수 있는
'하나님을 영접한 이후 …'의 차원에는 아직 미치지 못한다 하더라도,
그렇더라도 나는 두 번 세상을 살기 시작한 것만은 틀림없는 일이다.

이 세상의 그 누구도 하나님의 아들이 아닐 수 없음을 증거해야 하는
한 작은 Sample로서의 의무에 대해 혼자서 생각함.

모든 일은
이제부터가 시작이다.
어렵사리 눈꼽만큼 마련되기 시작한 이 믿음을 起點으로 !

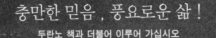
웃으며 살자구요

(김경태 지음 / 신국판 / 321쪽 / 5,500원)

김경태, 그의 삶은 한 편의 기막힌 드라마다. 어머니의 죽음, 굶주림과 고학, 결혼과 아들의 죽음, 코미디계 대부, 도미와 사업 실패, 앵커로 거듭남, 간암 선고와 기적적인 치유…. '웃음 신사'로 널리 알려진 그의 파란만장한 삶의 질곡이 감동적이다.

막 쪄낸 찐빵

(이만재 지음 / 신국판 / 107쪽 / 2,500원)

우리 시대 최고의 카피라이터인 저자의 신앙 체험기. 40대에 예수를 처음 만난 첫사랑의 고백이 솔직하고 감동적이다. '새 사람'으로 거듭나는 변화의 과정을 저자는 100일 동안의 일기로 고백하고 있다.

세상 속의 찐빵

(이만재 지음 / 신국판 / 107쪽 / 2,500원)

「막 쪄낸 찐빵」으로 널리 알려진 저자의 찐빵 속편. 그의 솔직 담백한 신앙 생활의 단면들을 모았다. 시간이 가면 갈수록 식지 않고 따끈따끈하게 데워지는 그의 신앙의 참 모습이 돋보인다.

상한 감정의 치유

(데이빗 A. 씨맨즈 지음 / 송헌복 옮김 / 신국판 / 186쪽 / 3,500원)

우리들의 상한 감정을 진단하고 치유하는 저자의 능력이 놀랍다. 혹 마음 깊은 곳에 과거로부터 옭조이고 있는 마음의 상처가 있는가? 이 책을 읽는 순간, 당신은 억압의 사슬을 끊고 자유로운 삶을 누릴 수 있을 것이다.

제자입니까

(후안 카를로스 오르티즈 지음 / 김성웅 옮김 / 신국판 / 182쪽 / 3,300원)

이 땅에 후안 카를로스의 선풍을 일으켰던 화제의 베스트셀러. 광범위한 경험에서 우러나온 그의 메시지는 사뭇 감동적이다. 형제 사랑, 이웃 사랑, 일체화된 사랑을 주제로 한 그의 능력의 메시지는 모든 그리스도인들에게 도전을 준다.

엄마의 결혼이야기

(원준자 지음 / 신국판 / 230쪽 / 4,500원)

결혼을 앞둔 딸에게 들려주는 엄마의 가슴속 결혼이야기. 부부란 이름으로 새로 태어나 몸으로 겪은 저자의 결혼의 진실을 담았다. 엄마로, 아내로, 며느리로 빚어온 스물여섯 해 가슴속 결혼이야기가 감동으로 다가온다.

두란노 어린이 그림 성경

(캐린 헨리 엮음 / 데나스 데이비스 그림 / 윤종석 옮김 / 크라운 변형판 / 15,000원)

창세기부터 요한계시록까지 성경 전체를 그림으로 그려 하나님의 말씀을 재미있고 이해하기 쉽게 설명한 어린이 그림 성경책. 『The Beginner's Bible』은 1988년 미국에서 첫선을 보인 이래 국내에서도 스테디셀러로 그 명성을 유지하고 있다.

하나님은 사랑에 눈이 멀었다

(김수경 글 그림 / 114쪽 / 3,000원)

'말하는 그림책'으로 장안의 화제를 모으고 있는 저자의 첫번째 작품. 독특한 일러스트와 간결하고도 깊이 있는 메시지가 독특한 이 책에서 저자는 영원하고 한없이 넓은 하나님의 사랑을 비롯, 꼭 짚고 넘어갈 현대 크리스천들의 문제들을 톡톡 튀는 신세대 감성으로 그리고 있다.

향기 있는 사람

(생명의 삶 편집 / 4×6판 / 199쪽 / 4,000원)

주옥 같은 「생명의 삶」 예화 모음 3집. 지난 10여 년간 이 땅의 크리스천들의 영혼을 뒤흔들었던 감동의 예화 중 '감사', '순종', '섬김'의 편편들을 모았다. 깊은 묵상은 물론, 설교 자료의 좋은 동반자로도 손색이 없다.

기도하십니까

(김석완 지음 / 국판 / 150쪽 / 4,500원)

중보기도를 위한 실제적 안내서. 기도의 이론을 제시하기보다는 "어떻게 기도할까" 하는 실제적 물음에 구체적인 답변을 주고 있다. 새벽마다 모여 중보기도한 기도 제목들을 분류, 정리한 이 책은 분야별로 구체적으로 기도할 수 있도록 한 섬세한 배려가 장점이다.

일대일 제자양육 (바인더)
(두란노서원 편집/5×7배판/233쪽
/6,000원)

제자훈련을 위한 새신자 성경공부 교재. 새신자들을 대상으로 하는 각종 성경공부 교재를 취합, 그 장점을 키우고 단점을 보완해 만든 제자양육 성경공부 교재의 종합편. 새신자 교육과 제자훈련 교재로 꾸준한 사랑을 받고 있는 스테디셀러.

사랑의 묘약
(도서출판 두란노 편집/4×6배판/165쪽
/4,000원)

두란노 예화 모음 2집. 사랑이란 약은 모든 사람에게 필요한 약이다. 그 약이 어떤 모양인지, 무슨 색깔인지, 효과는 또 얼마나 있는지 우리는 잘 알고 있다. 참 사랑은 새 생명을 불어넣고 삶을 풍요롭게 한다. 사랑을 뿌리는 사람들이 어떤 열매를 거두었는지 당신은 이 책에서 만날 수 있을 것이다.

예수를 찾아라?
(김수경 글·그림/국판 변형/120쪽/3,000원)

「하나님은 사랑에 눈이 멀었다」에 이은 말하는 그림책 제2권. 성경의 내용들을 독특한 일러스트로 극화했다. 생명 되신 예수를 찾기 위해 애쓰는 인간, 우리의 옛 성품, 구원사역, 기도, 은사 등 비록 작은 그림 하나에도 저자는 복음의 핵심을 말하고 있다. 초신자나 믿지 않는 사람에게도 쉽고 부담없이 다가갈 수 있는 책이다.

은사를 사모하는 그리스도인
(릭 욘 지음/윤병하 옮김/신국판/177쪽
/3,500원)

누구나 한번쯤 자신을 쓸모없는 사람이라고 생각한다. 이것은 자아를 제대로 발견하지 못했기 때문이다. 또한 자신의 은사를 정확히 모르기 때문이다. 하나님께서 그분의 계획과 뜻대로 우리 각자에게 부어 주신 은사를 간구해야 한다고 저자는 말한다. 저자는 형식에 얽매이지 않고 목회 경험을 통해 우리 안에 감추어진 하나님의 선물을 발견하도록 한다.

부부 큐티 365일
(노만 라이트 지음/박혜영·정상윤 옮김/신국판/360쪽/8,400원)

부부를 위한 일년 큐티자료집. 부부가 함께 경건의 시간을 가지고 영적인 생활을 심화하도록 월별 주제와 매일의 새로운 내용으로 꾸며져 있다. 본문 말씀과 토론을 통해, 그리스도를 온전히 드러내고 하나님의 나라를 만들어 가는 결혼생활을 하게 될 것이다.

기도는 호흡입니다
(밴 듀런 지음/신국판/106쪽/2,000원)

기도는 크리스천의 타고난 숨결. 기도를 통해 살아 있음을 매일매일 확인하자. 억지로 숨쉬는 사람도 있을까? 기도는 호흡이다. 호흡은 살아 있음을 뜻한다. 따라서 기도하는 자만이 크리스천으로서의 생명력을 지니게 된다. 숨을 쉬자. 호흡하듯 자연스럽게 기도하자. 기도를 통해 우리가 살아 있음을 매일매일 확인하자.

여우를 잡으라
(송길원 지음/국판 변형/194쪽/3,500원)

가정은 퍼내도 퍼내도 마르지 않는 샘과 같다. 가정은 아무리 강조해도 지나치지 않은 주제이다. 가정이 사라져 가는 시대, 가정이 병들어 가는 시대, 이런 시대에 가정을 갉아먹고 허무는 여우를 잡으라고 저자는 말한다. 부부의 온전한 하나 됨과 가정의 행복을 위한 성경적 견해가 간결한 문체와 흥미로운 주제들로 전개된다.

마음을 찍는 사진사
(그림 이승애/글 윤필교/국판 변형/145쪽
/4,500원)

신세대들에게 세상 사는 지혜를 일깨워 주는 산뜻한 일러스트 모음집. '우리 시대 결혼의 현주소', '21세기 조스' 등 60여 편의 그림이 담겼다. 복음을 아이처럼 순수한 마음과 따스한 정감 어린 그림에 담아 전하려는 노력이 엿보이는 이 책은 '나의 달란트는 무엇일까' 고민하는 이들에게 신선한 도전을 준다.